KATARZYNA

MICHALAK

DRAŃ

Redakcja:
Kinga Dolczewska

Korekta:
Elżbieta Matwiejczyk, Beata Sawicka

Projekt okładki i stron tytułowych:
Katarzyna Michalak

Opracowanie graficzne okładki:
PANCZAKIEWICZ ART.DESIGN

Fotografia na okładce:
© Nik Keevil / Trevillion Images

Materiały graficzne:
fotolia.com, istock.com

Skład i łamanie:
Piotr Kuliga

Książkę wydrukowano na papierze Ecco Book Cream 80g, vol. 2.0

Druk i oprawa:
Abedik SA, Poznań

ISBN 978-83-954431-8-3

Wydanie I

Printed in Poland

Gdy niewinność to za mało, by pozwolili im żyć...

To nie jest słodka książka. Czułe słówka, romantyczne uniesienia i słodkie pitu-pitu… *NIE TEN ADRES*. Katarzyna Michalak zabiera Czytelniczki w pościg na śmierć i życie. Dynamiczna akcja przypomina rollercoaster! Złość, współczucie, wsparcie i wielka nadzieja. Nadzieja pomimo wszystko.

~Magda P.

Sensacyjny skok w bok najpopularniejszej autorki powieści obyczajowych to doskonały materiał na serial! W tej książce nieustannie coś się dzieje. Utrata pamięci, ukrywający się kochankowie, przesiąknięty złem Zadra – mistrzowskie zwroty akcji. *DRAŃ* to książka, która budzi strach, ale i nie pozwala umrzeć nadziei. Polecam.

~Gabriella

Zło nie zapomina, nie odpuszcza! A szkoda… Może wtedy Danka, Hubert i Wiktor mogliby zaznać szczęśliwych, a nawet nudnych dni. Szczerze ich polubiłam i kibicowałam od pierwszej strony. Nie wiem, jak robi to Katarzyna Michalak, ale pochłonęłam książkę jednej nocy. O tak, tę powieść czyta się najlepiej nocą.

~Czytelniczka 009

Chwilami odwracałam wzrok, odkładałam książkę z myślą, że nie dam rady. W końcu mąż, który mi ją podebrał i sam przeczytał, stwierdził, że muszę ją skończyć. Miał rację! Katarzyna Michalak zostawiła mnie ze łzami w oczach i uśmiechem na twarzy.

~Ola 38

Dla niej i dla niego. Najpierw „Ścigany" później „Drań". Piekielnie dobra książka! I chwilami było dosłownie gorąco. Bardziej sensacyjna niż erotyczna, a może nawet chwilami romantyczna… Przeczytajcie koniecznie!

~Anka

Gdybym spotkała Zadrę, to nakopałabym mu do D…! Ile on mi krwi napsuł, to wiem tylko ja. Najczarniejszy z czarnych bohaterów. Czytając „Drania", przed oczami miałam wszystkie sceny, w których wystarczyła odrobina człowieczeństwa… Czy dla bohaterów powieści wzejdzie słońce? Przekonajcie się!

~Monia Zaczytana

ROZDZIAŁ I

Nazywam się Wiktor Helert i jestem bandytą. Tak przynajmniej twierdzi – dodam, że z jakąś chorą satysfakcją – i tym
słowem częstuje mnie na dzień dobry facet, który co jakiś
czas wpada do mojej samotni. Bynajmniej nie zapraszany.
Prawdę mówiąc, on sam wygląda na bandziora, co ci nóż pod
żebro wbije z byle powodu, a ponoć stoi po jasnej stronie mocy,
ale co ja tam wiem…

Niewiele wiem.

Wybudzono mnie ze śpiączki farmakologicznej ponad
dwa miesiące temu z pamięcią wyczesaną do zera. Nie mam
pojęcia, czy celowo wyczyścili mi wspomnienia jakimś specy-
fikiem, czy uszkodzenie mózgu było tak duże. Wiem, że moje
życie zaczęło się właśnie wtedy, sześćdziesiąt pięć dni temu.
Gdy odzyskałem przytomność, pierwszym, co ujrzałem, była
ponura twarz tego człowieka, Jana Zadry. Tylko on pojawił

się w pokoju, w którym leżałem. Nikt inny. Przez następne tygodnie nie odwiedził mnie kompletnie nikt.

W samotne dni, które nastały po tamtym przebudzeniu, i jeszcze bardziej samotne noce zadawałem sobie pytanie: naprawdę nie ma nikogo, kogo bym obchodził? Tylko ten ponury zakapior? Facet o posturze i twarzy bandziora, który patrzy na mnie z mieszaniną niechęci, pogardy, nienawiści i Bóg jeden wie, czego jeszcze? A skoro tak bardzo mnie nie cierpi, po cholerę przychodzi?!

Na razie go o to nie pytałem. Potrzebna mi jest chociaż jego obecność, by nie zwariować od natłoku pytań. On, Jan Zadra, zdaje się jedyną nicią, łączącą mnie z poprzednim życiem. Bo przecież miałem jakieś, no nie? Nie urwałem się z choinki pewnego kwietniowego ranka!

Musiałem gdzieś mieszkać, gdzieś pracować, kogoś kochać, może i nienawidzić. Jednak gdy tylko próbuję przypomnieć sobie moją przeszłość, miejsce po kuli, którą lekarze cudem usunęli z mojego mózgu, zaczyna rwać trudnym do zniesienia bólem. Tak, tak, dostałem kulę w łeb, nie mogę więc być zwykłym, praworządnym obywatelem, bo tacy raczej giną w wypadkach samochodowych albo schodzą na raka, niekoniecznie trafiają na gangsterskie porachunki. Ten fakt potwierdza słowa Zadry: jestem bandytą.

I jeszcze jeden: dziś rano wyjął z kabury spluwę, z którą się nie rozstaje, rzucił ją do mnie – złapałem odruchowo, za kolbę, całkiem fachowym chwytem, po czym moje palce same, *bez specjalnej zachęty rozłożyły ją i złożyły, kończąc trwającą niecałe dwie minuty operację szczęknięciem, wcale przyjemnym, zatrzasku magazynka. Sam byłem zdumiony: pamiętam, jak się rozkłada i składa broń, a nie mogę sobie przypomnieć imienia mojej matki. Ulicy, gdzie stał mój dom. Kogoś, kto być może na mnie czeka. W końcu tego, jak ja sam naprawdę się nazywam, bo przecież „Wiktor Helert" mógł wymyślić ten, kto wyrabiał mi nowy dowód – dostałem go tuż przed wyjściem ze szpitala, tak nota bene.*

Zapytałem o to Zadrę.

– To moje prawdziwe dane? Wiktor Helert? Lat trzydzieści cztery?

– Nie. Wymyślone – odparł ze zwykłą dla siebie złośliwością.

– Długo się nad tym zastanawiałeś?

Zamyślił się. Przynajmniej starał się wyglądać na myślącego.

– Prawdę mówiąc, nazwała cię tak...

– Kto?! Kto tak do mnie mówił?! – Niemal padłem przed nim na kolana, by powiedział coś więcej.

Patrzył na mnie długą chwilę z tym swoim krzywym uśmieszkiem, wreszcie rzucił:

– Nieważne.

Dla mnie było to ważne! Kurewsko ważne! O czym ten bydlak doskonale wiedział!

– Pewna laska – dodał łaskawie.

– Kto? Czy ona mnie...? – Słowo „kochała" zawisło między mną a nim niewypowiedziane. – Ona... Co z nią? – Słowa z trudem przechodziły mi przez zaciśnięte gardło, bo wiedziałem, przeczuwałem!, że jednak nie jestem światu tak do końca obojętny. Może ktoś mnie szuka? Tęskni za mną? Pragnie, żebym...

– Powtarzam: nieważne. Ona nie żyje. Zabiłeś ją. – Zimny głos Zadry wbił się w moje czarne, bandyckie serce. Ani drgnęło. Chociaż przez chwilę miało przecież nadzieję, że gdzieś tam ktoś kiedyś być może mnie kochał...

– No. – Zadra uśmiechnął się zadowolony. – Gdyby to ode mnie zależało, wpisałbym ci do dowodu „Głupi Skurwiel" albo „Pierdolony Gangster" – dodał.

Przełknąłem tę zniewagę. Należała mi się. Za tę dziewczynę czy kobietę, którą zabiłem. Przez chwilę milczałem, jeszcze próbując znaleźć w sercu żal, ale w końcu musiałem zapytać:

– Może chociaż wiek się zgadza?

Naprawdę w moim głosie zabrzmiało błaganie? Muszę bardziej nad sobą panować...

– Rok? Owszem. Ale już dzień i miesiąc, Boże Narodzenie, jak widzisz, wpisaliśmy ci dla jaj. – Zarechotał.

Nienawidziłem go całym sercem. A jednak chciałem, by przyjeżdżał. I mówił. Jak najwięcej. Bo największym moim pragnieniem – teraz, gdy muszę żyć – jest odzyskać prawdziwą tożsamość. Dowiedzieć się albo przypomnieć sobie, kim byłem.

Pisanie dziennika ma mi w tym pomóc, tak zapewniała milutka psycholożka, z którą miałem kilka spotkań. Nie to, żebym potrzebował pomocy psychologa, nie pamiętam naprawdę nic, ani złego, ani dobrego, nic więc – oprócz tej niepamięci – specjalnie mnie nie martwi, a jednak… Zadra, nie pytając mnie o zdanie, przyprowadził któregoś dnia panią psycholog, rzucił z tym swoim wrednym uśmieszkiem: „To jest nasz bandzior, pani Moniko" i zostawił nas samych.

Przyznam, że wtedy po raz pierwszy zapragnąłem przylać mu po mordzie. Nie przy każdym musi wyjeżdżać z tym „bandziorem", ale jak widać sprawia mu to radochę. A mi sprawi, gdy któregoś dnia, kiedy w końcu odzyskam siły, zmiotę mu ten uśmiech uderzeniem pięści.

Ten czas się zbliża. Bękart nie wie, że już zacząłem ćwiczyć. Za miesiąc albo dwa, gdy znów wpadnie „w odwiedziny", żeby mnie podręczyć snuciem wspomnień i opowieści, jakim to bydlakiem byłem, nie wytrzymam i rzucę się na skurwiela. Nawet jeśli miałby mnie za to skatować na śmierć. Pieprzyć to. Jestem gangsterem, no nie? Tego się pewnie po mnie spodziewa. I już się nie może, łachudra, doczekać, aż zrzuci maskę dobrego wujka i ukaże prawdziwą twarz, wykrzywioną nienawiścią.

Pytanie: za co on mnie tak nie cierpi? A skoro nie cierpi, czemu tak troskliwie się mną opiekuje? I jeszcze jedno: dlaczego polski rząd utrzymuje bandytę? Bo pieniądze, które Zadra przywozi co miesiąc do mojej samotni i wręcza mi z krzywym uśmieszkiem, są ponoć rządowe.

Dodając dwa do dwóch, wychodzi, że jestem, czy raczej byłem, donosicielem. Skruszonym gangsterem, świadkiem koronnym, który zrobił swoje, dostał za to kulę w łeb i do widzenia. Prawdę mówiąc, słowo „gangster" bardziej mi odpowiada niż „kapuś", ale czy mam jakiś wybór?

W poprzednim życiu, tym zapomnianym, pewnie miałem. Dokonałem go. Podjąłem jakieś tam decyzje. Otrzymałem dwie zapłaty: w postaci kuli i w postaci forsy. Mam jedynie nadzieję, że te decyzje były słuszne. Że nikogo nimi nie skrzywdziłem.

Nie skrzywdziłem?! Ale ty pieprzysz, Helert. Jesteś gangsterem! Bandziorem, którym to epitetem jutro poczęstuje cię Zadra! Na pewno masz na sumieniu niejedną ludzką krzywdę. O, i to też nie daje mi spokoju: że mam sumienie. Że w ogóle zastanawiam się nad tym, czy ktoś przeze mnie płakał...

Gdy chwyciłem spluwę Zadry, która tak dobrze pasowała do mojej ręki, i bawiłem się nią parę minut – całe to składanie i rozkładanie fajna rzecz – w pewnej chwili wymierzyłem mendzie, która przyglądała mi się z wrednym uśmieszkiem na wrednej gębie, między oczy. Magazynek, rzecz jasna, leżał na stole.

– Co, chciałoby się postrzelać? – rzucił Zadra, a uśmiech stał się szerszy.

Trzymałem pistolet w nieruchomej dłoni może trzydzieści centymetrów od czoła faceta, którego zdążyłem przez ten czas serdecznie znienawidzić, chociaż jeszcze nie tak, jak on mnie, *i wiedziałem jedno: nie byłbym w stanie pociągnąć za spust. Nie potrafiłbym zastrzelić bezbronnego człowieka.*

– Nie dość, że bandzior, to jeszcze tchórz – prychnął z nieodłączną pogardą.

Wkurwiło mnie to. Porwałem ze stołu magazynek. W sekundę był na swoim miejscu. Przeładowałem glocka i podałem go Zadrze lufą w swoją stronę.

– Skoro mnie tak nienawidzisz i tak mną gardzisz, dlaczego ty tego nie zrobisz? – wycedziłem, patrząc bękartowi prosto w oczy, zimne i nieruchome jak u rekina.

Przez parę chwil ważył pistolet w dłoni, a potem odparł:

– Nie zasłużyłeś na szybką śmierć.

I wyszedł, zostawiając mnie z milionem pytań bez odpowiedzi...

Helert pieprznął czarny brulion z powrotem do szuflady, prychnął do siebie: „Na wspominki mi się zebrało, serio?", a potem zaśmiał się cicho, mściwie. Przyrzeczenie dane samemu sobie spełnił pół roku później. Ledwie Zadra przekroczył próg skromnego domku i rzucił to swoje: „Cześć, bandyto, jak tam?", oberwał z piąchy tak, że przefiknął się przez kanapę i rąbnął o kamienną podłogę z drugiej strony.

Tak, tak, może Wiktor nie był tak napakowany, jak jego „przyjaciel", może i miał za sobą poważną operację, śpiączkę i te sprawy, owszem, nie pamiętał również nic z życia przed wybudzeniem się w warszawskim szpitalu, ale jego ciało, cierpliwie trenowane od ładnych paru miesięcy, coś tam jednak zapamiętało. I potrafiło odpłacić Zadrze tak, jak na to zasłużył. Ten, nie zważając na krew z rozbitego nosa, poderwał się z pistoletem w ręku, gotów zastrzelić Helerta jak psa.

Wiktor spojrzał beznamiętnie prosto w rekinie oczy, bo śmierci to on bał się najmniej. Zadra jeszcze chwilę postraszył go spluwą, po czym schował ją do kabury ze słowami:

– O nieee, będziesz żył, skurwielu. Będziesz żył.

I wyszedł, nie skorzystawszy z chusteczki higienicznej, którą Wiktor podsunął mu uprzejmie. Wyszedł z rządowymi pieniędzmi w kieszeni, dodajmy.

Helert przez następne dwa lata – bo tyle tamten się dąsał – nie dostał ani grosza, ale specjalnie się tym nie przejął. Po prostu wziął pierwszą robotę, jaka mu się napatoczyła: sprzątanie pociągów. Parszywa i kiepsko płatna, ale nie narzekał. Był w tej mieścinie nowy. Nie znał ani tutejszego języka, ani ludzi, że o miejscowych zwyczajach nie wspomnieć. Sprzątanie zarzyganych, obszczanych pociągów było w sam raz.

Parę miesięcy później został instruktorem taekwondo, bo – i za to jedynie był Zadrze wdzięczny – dzięki tamtemu mordobiciu czegoś się o sobie dowiedział: znał sztuki walki. I był w nich piekielnie dobry. Nie zamierzał częstować Zadry z pięści, serio!, a przynajmniej nie tak szybko. Chciał wyciągnąć z gada jak najwięcej o swojej przeszłości, która nadal stanowiła dla Wiktora jedną wielką niewiadomą i dopiero na do widzenia potraktować tamtego, jak na to zasługiwał, ale cóż... Helerta z lekka poniosło. Palce same zacisnęły się w pięść, gdy po raz kolejny usłyszał „bandyto", ręka sama wyprowadziła cios i był on zadziwiająco fachowy.

Gdy Zadra wyszedł, krwawiąc jak zarzynany prosiak, Wiktor powtórzył cios „na sucho". Ciało natychmiast przyjęło wyćwiczoną w poprzednim życiu pozycję, sekwencja ruchów przyszła mu tak naturalnie, jak oddychanie. Cios, cios, blok, kopnięcie, cios, cios, obrót z kopnięciem. Taaak, Wiktor taekwondo miał we krwi, dlaczego więc tego nie wykorzystać?

Zapisał się na kurs, prowadzony przez koreańskiego mistrza – zadziwiające, ale nawet tu, w dziurze zwanej Mangalią*, taki się znalazł, poćwiczył dwa miesiące ze staruszkiem, zachwyconym, że ma tak utalentowanego ucznia, po czym otrzymał od Kim Yoo Sina, który od dawna marzył o emeryturze, propozycję nie do odrzucenia: on, Wiktor, pociągnie kursy, w zamian będzie odpalał mistrzowi niewielką część zarobków.

---

* Nadmorskie miasto w Rumunii.

Przyjął tę propozycję z radością. Po pierwsze, nie musiał już sprzątać zarzyganych kibli, po drugie, znalazł przyjaciela i mentora. Kim Yoo Sin, sam obcy w tym kraju, chociaż mieszkał w Rumunii od ładnych paru lat, wziął trzydziestoczteroletniego mężczyznę bez pamięci pod swoje skrzydła i Wiktor nie był już tak parszywie sam.

Z biegiem czasu grono znajomych – bo nie przyjaciół, Wiktor był zbyt skryty i nieufny, by się z kimkolwiek oprócz Kima zaprzyjaźniać – powiększało się.

Poznawał sprzedawców z pobliskiego targu, barmanów z knajpy, do której od czasu do czasu zaglądał, a nade wszystko śliczne, czarnowłose i czarnookie, smagłe jak on sam dziewczyny, którym towarzystwo przystojnego Polaka było bardzo miłe.

Nie mógł narzekać na brak powodzenia u tutejszych piękności. Podpadał za to ich ojcom, którzy poglądy na seks mieli bardzo konserwatywne. Naprawdę musiał się Wiktor ze swoimi „miłościami" ostro konspirować i nie raz uciekał przez okno, niczym kochanek z przedwojennej komedii, przed podejrzliwym czy rozjuszonym tatusiem. Miasto było małe, każdy znał tutaj każdego. Gdyby na serio zadarł z miejscowymi, potrafiliby utrudnić mu życie, czy po prostu pozbyć się obcego.

– Musi się ustatkować – poradził mu Kim Yoo Sin podczas jednej ze szczerych rozmów przy kieliszeczku dobrego, mocnego soju*. – Musi poświadczyć się ładnej pannie, wziąć z nią ślub i narodzić dzieci. Wtedy będzie spokojny i bezpieczny.

– Spokojny i bezpieczny to będę, gdy przypomnę sobie moją przeszłość – odmruknął.

Brak wspomnień stał się ostatnio dosyć dokuczliwy. Helert miał wrażenie, jakby były blisko, jakby jego umysł już sięgał czarnej zasłony niepamięci: wystarczy zedrzeć ją jednym ruchem i nastanie światłość. Ale wrażenie to mijało, a on pozostawał z pustką. Martwym, pustym miejscem tam, gdzie powinna być jego tożsamość. Wspomnienia. Przeszłość. To wszystko, co czyni z ciebie człowieka.

– Niech buduje od nowa – radził Kim. – Kształtuje osobę od nowa. Nowe przeżycia, nowe ludzie, przyjaciele, rodzina. Od nowa niech siebie zbuduje.

Oczywiście starzec miał rację, jednak… Wiktor tak strasznie chciałby wiedzieć, czy naprawdę jest na świecie zupełnie sam? Czy nikogo, absolutnie nikogo nie obchodzi? Czy matka, dziewczyna, ktokolwiek!, za nim nie płacze? Chociaż to.

Aż łzy mu do oczu nabiegły z frustracji i wściekłości, bo przecież nie żalu, roztkliwiać się nad sobą nie miał zamiaru! A może od kolejnego kieliszka soju? Podniósł się nieco chwiejnie, przytrzymał framugi drzwi i wyszedł

---

* Wódka koreańska.

w ciemną, nadmorską noc. Bez pożegnania. Nie mógł przecież pokazać staremu przyjacielowi tych łez.

– Wiktor! – Usłyszał za sobą jego wołanie. – Klucz! Klucza ty zapomniał do domu! – Doprawdy, stary Koreańczyk traktował język rumuński dosyć dowolnie…

Metalowy przedmiot przeleciał Helertowi nad uchem. Pochwycił klucz odruchowo, szybki, bardzo szybki, mimo alkoholu płynącego w żyłach. Oblewali jego nowe lokum. Dziś rano wyprowadził się z obskurnej nory w postkomunistycznym bloku, szarym i smutnym jak większa część Mangalii, i zamieszkał nad morzem, w nieco mniej obskurnym domku, który miał wyremontować własnym sumptem w zamian za niższy czynsz.

– Mulțam!* – odkrzyknął, bo gdyby nie przyjaciel, ruszyłby w stronę poprzedniego mieszkania.

Kim rzekł coś, co brzmiało, jakby zakrztusił się kluską. Wiktor znał koreański na tyle, że zrozumiał „Nie ma za co" i uśmiechnął się do siebie. Dobrze było mieć kogoś, komu twoje życie i śmierć, a przynajmniej to, gdzie spędzisz dzisiejszą noc, nie było obojętne…

Kwadrans później wchodził na piętro, gdzie mieścił się niewielki pokój z kuchnią, łazienką i jeszcze mniejszą sypialnią. Rozejrzał się po brudnym, cuchnącym pomieszczeniu i westchnął z głębi duszy. Wiedział, chociaż nie

---

* jęz. rum.: Dzięki!

pamiętał, mimo to miał pewność, że większą część życia spędził w takich właśnie spelunach. Najwyższy czas coś zmienić...

I rzeczywiście zmiany nadeszły szybciej, niż można się było spodziewać. Pewnego bowiem dnia wydarzyło się coś, przez co – czy raczej dzięki czemu – Wiktor-bandyta, jak mu to wmawiał Zadra, musiał zrewidować swój bandytyzm. Otóż okazał się... dobrym człowiekiem. Surprise, surprise!

Zanim jednak do tego doszło, musiał sięgnąć dna.

ROZDZIAŁ II

— Cześć, bandyto, ty jeszcze żyjesz?

Zadra wszedł do mieszkania Wiktora jak do siebie. Nie pukając do drzwi, a już bynajmniej nie czekając na zaproszenie czy wręcz przeciwnie.

Po prostu któregoś letniego popołudnia, gdy skwar nieco zelżał, Helert usłyszał kroki na schodach, potem ustępującą pod naporem czyjejś dłoni klamkę i, kiedy zdziwiony — kto tak bezczelnie narusza jego prywatność — spojrzał w kierunku drzwi, ujrzał w nich znienawidzoną, napakowaną sylwetkę i usłyszał nie mniej znienawidzone słowa „powitania". Owo „bandyto", od którego aż się chciało tym bandytą zostać i z miejsca poczęstować Zadrę kosą pod żebra.

— Spierdalaj — odrzekł uprzejmie, opadając na leżak.

Była niedziela, a w niedziele pozwalał sobie na słodkie lenistwo. Jedynie biegał, jak co rano, i zaglądał, jak co dzień, do Kima, czy czegoś staruszkowi nie potrzeba. Resztę dnia spędzał na nicnierobieniu, czyli jak w tym momencie: leżak, balkon, drink z palemką i kontemplacja widoków za oknem. Akurat na plaży opalała się grupka nastoletnich piękności. Już z taką jedną czarnulką wymienił parę gorących spojrzeń. Uwodziła go, flirciara, od samego rana i wcale nie było wykluczone, że Helert – gdy tylko znajdzie w sobie siły i zwlecze się z leżaka – spędzi w namiętnych ramionach dziewczyny popołudnie, a może nawet i noc. Któż to wie…

Poprawka: spędziłby, gdyby nie przeklęty Zadra i jego „Cześć, bandyto", na którym uprzejme „Spierdalaj" nie zrobiło żadnego wrażenia. Przeszedł do kuchni, otworzył lodówkę, wyjął puszkę piwa i rozwalił się na kanapie, czekając na gospodarza.

Wiktor, któremu nie dano wyboru, podniósł się powoli, żegnając wzrokiem dziewczynę i spokojny, sielankowy krajobraz. Jeszcze chwilę zbierał się w sobie, dusząc nagły gniew. Przez dwa lata – tyle bydlaka nie było – zdążył zapomnieć o wszystkich Zadrach przeszłego życia i nienawiści, jaką tamten potrafił w nim wzbudzić. Wraz z podłymi słowami i pojawieniem się Zadry w domu, który Wiktor polubił i uważał za swój azyl, nienawiść powróciła. Uderzyła tak silnie, aż odebrało mu na parę chwil oddech.

– Nie uczono cię kultury, co? – zapytał, cedząc zgłoski.

Wszedł do pokoju, w którym tamten, rozwalony na jego kanapie, popijał jego piwo i zmierzył intruza wściekłym spojrzeniem. Zadra patrzył na Wiktora ze zwykłą pogardą. I może jeszcze z zazdrością, bo Helert znów wyglądał jak młody Bóg ze śniadym, wyrzeźbionym godzinami ćwiczeń ciałem, czarnymi włosami bez śladów siwizny i parodniowym zarostem na przystojnej, męskiej gębie – brak gorących lasek, co wskoczą mu do łóżka na pstryknięcie, na pewno gnojkowi nie groził – podczas gdy on sam roztył się i zestarzał. Lata chlania i żarcia ponad miarę dawały się Zadrze we znaki, a Helert to oczywiście zauważył, bo wściekłość w jego czarnych oczach ustąpiła miejsca politowaniu.

– Czego chcesz? – rzucił, ukrywając pogardliwy uśmieszek.

– Stęskniłem się za tobą, bandziorze. – Zadra jednym słowem potrafił ten uśmieszek zetrzeć.

W czarnych oczach znów błysnęła furia.

– Już raz oberwałeś za to słowo po ryju. Chcesz znowu zbierać zęby z podłogi?

Tamten zamiast odpowiedzi odchylił klapę lekkiej, jasnej marynarki, wyciągnął zza paska ciężkiego glocka i położył go na stoliku z zachęcającym:

– Tylko spróbuj.

Wiktor splótł ręce na piersiach. Groźba Zadry spłynęła po nim jak po kaczce. Owszem, byli w Rumunii,

nieco mniej cywilizowanym kraju niż Polska, gdzie groże-
nie naładowanym pistoletem było może nie na porządku
dziennym, ale też wcale częste, jeśli obracałeś się w podej-
rzanych kręgach. Jednak aż tak ostentacyjnie tego nie czy-
niono. Bezczelność typa przekraczała wszelkie granice.
Także te międzynarodowe. Wystarczył jeden telefon na
miejscową policję i zgarną bydlaka na czterdzieści osiem.

– Twoi przełożeni, bo komuś chyba podlegasz, wiedzą, że wpieprzasz się ot tak komuś do domu i od progu,
niczym niesprowokowany, wymachujesz glockiem? –
zapytał bez ciekawości.

– Prowokujesz choćby tym, że jeszcze żyjesz – usłyszał
w odpowiedzi.

– Więc skróć swoje męki i mnie sprzątnij. – Wzruszył
ramionami. – Co cię powstrzymuje?

– Już raz odpowiadałem na to pytanie. – Zadra wyciągnął się wygodnie na kanapie, splatając dłonie na karku. –
Nie zasługujesz na szybką śmierć.

Wiktor parsknął śmiechem.

– Serio? Gdyby od ciebie to zależało, wpakowałbyś mi
kulę w łeb jeszcze na stole operacyjnym, gdy okazało się,
że jednak mnie odratowali. – Chyba trafił z tym przypusz-
czeniem, bo twarz tamtego stężała. – Jestem jednak pod
ochroną polskiego rządu i musisz zdawać komuś tam spra-
wozdanie, czy żyję i jak żyję. Wpakowanie paru kul w bezbronnego kiepsko by wyglądało w papierach, co, łachudro?

Nie wytłumaczyłbyś się z faktu, że Wiktor Helert, który cudem przeżył strzelaninę w Warszawie i którym miałeś się „troskliwie" opiekować, zginął z twojej ręki.

– Zawsze mogę ci zrobić samobójstwo.

– Tylko spróbuj – odparł Helert dokładnie tymi samymi słowami i tym samym tonem, co tamten przed chwilą.

Mierzyli się długą chwilę takim samym nienawistnym spojrzeniem, z tym że Helert wiedział, dlaczego Zadry nienawidzi, a za co Zadra tak nie cierpi jego, mógł się jedynie domyślać. Może... może dzisiaj zdoła wyrwać mu z gardła parę słów więcej?

Pierwszy odwrócił wzrok. Westchnął i rozłożył ręce.

– Cóż, skoro znów umyśliłeś sobie mnie odwiedzić, gość w dom, Bóg w dom. Jak długo zamierzasz zostać w Mangalii?

To pytanie powinno brzmieć „jak długo zatrzymasz się pod moim dachem?", ale Wiktor, który miał pewien chytry plan, nie chciał być aż tak obcesowy.

– Masz w tej norze – Zadra rozejrzał się po całkiem przyjemnym, zadbanym i niedawno własnoręcznie przez Helerta odnowionym pokoju z udanym obrzydzeniem – gościnny pokój? Czy choćby drugi materac?

Wiktor uśmiechnął się szerzej.

– Nie mam. Możesz spać ze mną.

Tamten prychnął tylko.

– Na górze jest wolne lokum i tam przenocuję – odparł, a Wiktor zmilczał cisnącą się na usta uwagę: po co Zadra zadawał głupie pytania o gościnny pokój, skoro od początku wiedział, gdzie Helert mieszka i jak mieszka. Skąd? Można się tylko domyślać. On przecież pocztówek z nowym adresem Zadrze nie wysyłał.

Mimo wszystko fakt, że przez kilka dni będzie miał za ścianą kogoś, kto znał jego przeszłość, był Wiktorowi na rękę. Mocny bimber – a takim dysponował – rozwiązuje wszystkie języki. Szczególnie tak nienawistne jak Zadry. Ten wstał i wyszedł na balkon.

– Kto zajmuje parter? – zapytał.

Widok był całkiem przyjemny, chociaż plaża nie należała do największych. Jednak biały piasek kontrastujący z ciemnymi wodami Morza Czarnego, a szczególnie śniade, szczupłe, czarnookie ślicznotki, prezentujące swe bujne wdzięki przed miejscowymi ogierami, cieszyły oko.

Wiktor potrafił godzinami wylegiwać się na leżaku i podziwiać zarówno piękno przyrody, jak i piękno tutejszych dziewcząt. A gdy już sobie jakąś upatrzył... cóż... na swoje ciało, opalone i wspaniale wyrzeźbione dzięki treningom, narzucał białą koszulę, do tego czarne dżinsy, markowy zegarek i złoty krzyżyk, chociaż z Bogiem nigdy się nie zaprzyjaźnił, i ruszał na polowanie.

Ofiarę mógł otaczać wianuszek młodszych i przystojniejszych, jednak gdy Helert naprawdę jej zapragnął, wracała z plaży właśnie z nim. Jak to robił, że dziewczyny nie potrafiły się mu oprzeć? Trudno powiedzieć. Tak jednak było. Tylko jedna... Z nią mu się nie poszczęściło. Potarł brodę na wspomnienie tamtej wpadki, uśmiechnął się do siebie, czego Zadra, odwrócony plecami nie mógł widzieć i odpowiedział na zadane przed chwilą pytanie:

– Małżeństwo z Danii.

– Duńczycy? – Tamten zwrócił ku niemu lekko głowę, tak że Helert przez chwilę mógł podziwiać jego połamany wielokrotnie nos.

– Nie dociekałem. My tutaj nie spowiadamy się sąsiadom z historii naszego życia. Sądząc po akcencie, on jest Duńczykiem, ona Szwedką albo Finką. A co? Zamierzasz złożyć im kurtuazyjną wizytę? Uprzedzam, że tak kochają obcych, jak ja.

Przez twarz Zadry przemknął uśmiech. Helert nawet jego potrafił rozbawić. Rzadko. Gdyby wiedział, że Wiktor potrafi go również ołgać, i to bardzo bezczelnie, zamiast się uśmiechać, wystartowałby pewnie do niego z łapami albo spluwą. Na szczęście nic nie podejrzewał.

Jeszcze nie.

Sąsiedzi musieli w tym właśnie momencie wrócić do domu, bo piętro niżej rozległo się szczęknięcie drzwi i męski głos, któremu odpowiedziała przyciszonym tonem kobieta. Zadra nadstawił uszu.

– Gadają po angielsku? – raczej się domyślił, niż usłyszał.

Wiktor wzruszył ramionami.

– Skoro on jest innej narodowości niż ona, jakoś muszą się porozmawiać.

Gdyby Zadra był uważniejszy i cokolwiek podejrzewał, zauważyłby, że jego rozmówca jest nieco bardziej spięty, niż chwilę wcześniej.

– Zrobić ci jakiejś kawy? Herbaty? Coś mocniejszego? – Wiktor przeszedł do kuchni, próbując ściągnąć tamtego z balkonu. – Może po starej znajomości przepijemy czymś naprawdę zabójczym? Jeden z moich kursantów nie ma forsy i płaci dobrym bimbrem. Czegoś takiego jeszcze nie piłeś. Idę o zakład, że po jednej szklance będziesz półmartwy.

Odpowiedział mu gardłowy śmiech.

– Chłopcze, ty i te twoje zakłady... Stawiam forsę, którą ci przywiozłem, że na chlańsku ze mną polegniesz. Wchodzisz w to?

– Przywiozłeś mi jakąś forsę? – zdziwił się Helert, przeciągając zgłoski. – To coś miłego dla odmiany.

– Ile mnie tu nie było? Dwa lata? Nazbierało się. Możesz o mnie myśleć wszystko, co najgorsze, ale złodziejem nie jestem. Tu masz swoją rentę za wszystkie te miesiące, co do grosza... – Wyjął z bocznej kieszeni parę plików stuzłotowych banknotów i pomachał nimi Helertowi przed nosem. Ten nie sięgnął po pieniądze, wiedząc, co za chwilę usłyszy. – Pod pewnym warunkiem…

No właśnie.

Zadra wrócił do pokoju, rozwalił się jak poprzednio na kanapie i patrzył na Wiktora z wyczekiwaniem.

– Mam zajrzeć do szklanej kuli i odgadnąć, jaki to warunek? – warknął Helert, mając serdecznie dosyć tego typa i jego pieprzonych zagadek. Pieniędzy również. Potrafił na siebie zarobić.

– Rozejrzysz się po tej dziurze i namierzysz wszystkich mieszkających tu Polaków. A potem przyślesz mi raport, kto, co i jak. Ze zdjęciami. Mogą być pstryknięte telefonem. To żaden wysiłek za pięćdziesiąt tysi, co? – Popukał knykciem w miejsce, gdzie trzymał pieniądze Helerta.

Wprawdzie należały mu się bezwarunkowo, czego obaj mieli pełną świadomość, ale co Wiktor mógł Zadrze zrobić? Donieść policji, że ten przetrzymuje jego rentę? Serio? Tej samej policji, od której kul nosi na ciele blizny i która omal nie wysłała go na tamten świat? Prawdopodobnie przyjechaliby poprawić, gdyby mieli cień podejrzenia, że ofiara przeżyła. Nie bez powodu zesłano Helerta do miejsca, którego nazwa nic nikomu nie mówiła i które właściwie mogłoby przestać istnieć, a nikt by się w tym nie zorientował i nie zatęsknił…

– A tu są w ogóle jacyś Polacy? – Wiktor uniósł brew. – Mieszkam w tym mieście od dwóch lat z hakiem i tylko raz spotkałem trzy Polki, turystki, szczerze zdziwione, co one tu robią.

Zadra zaśmiał się krótko i pokręcił głową.

– Nie szukamy turystów. Szukamy takiego bandziora, przy którym ty zdajesz się ministrantem.

Uśmiech znikł z jego krzywej gęby. Otworzył portfel, wyjął z niego zdjęcie i podał Helertowi, a potem włączył telewizor, przeskoczył na polski kanał i... ten sam mężczyzna, który patrzył na Wiktora ze zdjęcia, widniał teraz na ekranie: przystojny, ciemnowłosy, błękitnooki, niebezpieczny, a na dodatek całkiem nieźle Helertowi znany. Taaak, za pięć dych, które nota bene należały do Wiktora, mógł Zadrze o tym facecie sporo naopowiadać. Gdyby tylko chciał.

*

Duńskie małżeństwo, które z Danią miało tyle wspólnego, co Helert z Grenlandią, wprowadziło się jakiś miesiąc wcześniej.

Wiktor, zajmujący piętro pustego do tej pory domu, bez entuzjazmu przyjął wiadomość, że będzie miał sąsiadów. Dobrze mu było samemu w tej starej, przedwojennej willi czy też kamieniczce i nie chciał się nią dzielić z kimkolwiek innym, ale na wykupienie rudery nie było go stać, a płacić czynszu za dwa pozostałe piętra, które stałyby puste, też nie zamierzał.

Właściciel dokwaterował mu więc na parterze dwoje ludzi mniej więcej w jego, Helerta, wieku. Obejrzał sobie i ją, i jego, gdy nazajutrz rano wyszli przed dom, zatrzymali się przy niskim, kamiennym murku, oddzielającym trawnik od plaży i stali tak ramię w ramię ładnych parę minut, trzymając się za ręce.

Najpierw rzecz jasna przyjrzał się wzrokiem konesera kobiecie. Była drobna i szczupła, może nawet chuda, miała całkiem zgrabną pupę, wąską talię i pełne piersi. Długie, ciemne włosy, ujarzmione opaską, odgarniała z oczu niecierpliwym gestem dłoni, a gdy w pewnym momencie zwróciła się z jakimś pytaniem do mężczyzny, Wiktor mógł stwierdzić, że kobieta jest całkiem ładniutka. A przede wszystkim różni się od tutejszych piękności jak dzień od nocy. Była opalona, owszem, ale na bank pochodziła z północy Europy, nie z południa.

Facet – zapewne jej mąż, bo oboje nosili obrączki – również nie wyglądał na południowca, mimo że spalony był na brąz i włosy miał ciemne. Za to oczy jasnoniebieskie, więc Królem Cyganów to on nie był… Wiktor przyglądał się teraz jemu. Byli mniej więcej tego samego wzrostu i podobnie zbudowani. Czy tamten wyrobił sobie muskulaturę na siłce, czy też coś ćwiczył, nie wiadomo, jednak mięśnie grały pod opaloną skórą przy byle ruchu, a tłuszczu nie uświadczyłeś za grosz.

Miejscowe towarzystwo, rozdokazywane na plaży,

przycichło z lekka i przyglądało się tej dwójce, komentując wygląd jej i jego. Dziewczyny już zaczynały ślinić się do faceta, mężczyźni obcinali kobietę mniej lub bardziej wyzywającymi spojrzeniami, wymieniając między sobą uwagi i sposoby, na jakie chcieliby ją rżnąć – Wiktor, który znał już rumuński na tyle, by ich rozumieć, mógł się tylko skrzywić z niesmakiem.

„Pilnuj, sąsiedzie, swojej ślicznej żonki, żeby nie przeleciał jej któryś z miejscowych casanovów", pomyślał.

W tym momencie tamten odwrócił się, spojrzał wprost na Helerta i uniósł dłoń w powitaniu. Kobieta uśmiechnęła się nieśmiało.

– Hi, we're neighbours! Cześć, jesteśmy sąsiadami! – zaczął po angielsku z nieco twardym, obcym akcentem.

Helert, nie chcąc wyjść na kompletnego chama, chociaż nie cieszył się na jakiekolwiek sąsiedztwo, również uniósł rękę.

– Witamy w Mangalii – odpowiedział na tyle sympatycznie, na ile mógł się zdobyć.

Tamci podeszli bliżej. Stali teraz pod jego balkonem. Mógł uważniej się przyjrzeć i jej, i jemu, i potwierdzić to, czego się domyślał: ona była naprawdę piękna, mimo dziwnie nietwarzowej fryzury, z niego zaś był kawał przystojniaka. Całe szczęście, że stanowili parę, bo gdyby oboje byli wolni, zaczęłyby się do tego spokojnego zazwyczaj domu pielgrzymki adoratorów i wielbicielek, jak amen

31

w pacierzu. Już sam Helert przyciągał rumuńskie dziewczyny niczym magnes. Dodać do takich mięśni nordycką urodę nieznajomego i dom przy plaży musiałby zmienić nazwę na „chatka-kopulatka".

– I'm Greg. Gregory Smith. This is my wife, Cristine – odezwał się tamten.

– Wiktor – uciął krótko Helert. Nie będzie wykrzykiwał swojego nazwiska na pół dzielnicy. Bądź co bądź się tutaj ukrywał. – Wstąpicie na drinka? – zaproponował, chcąc nieco złagodzić pierwsze wrażenie. Ton głosu miał raczej odpychający, a przecież tych dwoje nic złego mu nie zrobiło. Jeszcze nie.

– Na alkohol jest trochę za wcześnie – zauważyła kobieta. Miała mile brzmiący, miękki akcent, ale rodowitą Angielką nie była na pewno. – Chętnie byśmy się jednak napili wody z lodem. – Tu spojrzała na męża tak... dziwnie, że Helert poczuł niemiły ucisk w sercu. I pewność, że oto zaczynają się kłopoty.

Ta laska bała się swojego napakowanego małżonka. Bała się do tego stopnia, że musiała pytać o pozwolenie wypicia głupiej szklanki wody. A Wiktor przez ostatnie dwa lata zdążył się o sobie dowiedzieć jednego: nienawidził damskich bokserów. Nie cierpiał macho, co poniewierają swoje dziewczyny. Jeśli usłyszy za ścianą odgłosy bicia... tych dwoje długo tu nie pomieszka.

Nie mógł jednak wycofać się z przyjaznej propozycji i oto miał sąsiadów u siebie w salonie. Greg usiadł na kanapie, Cristine przycupnęła obok. Oboje rozglądali się ukradkiem po skromnym, ale sympatycznym pomieszczeniu, podczas gdy Wiktor przygotowywał wodę z lodem, miętą i cytryną.

– Pewnie jesteście przyzwyczajeni do większych luksusów – zagaił, stawiając przed nimi oszronione szklanki.

– Dlaczego tak sądzisz? – zapytał mężczyzna.

„Odpowiadaj pytaniem na pytanie – prychnął w duchu Helert – a wcale nie wzbudzisz tym podejrzeń". Wzruszył ramionami i odezwał się na głos:

– Jesteście za dobrze ubrani jak na taką ruderę. Ty w marynarce, ona w garsonce. Pasujecie bardziej do pięciogwiazdkowego kurortu na Fuerteventurze niż do wiochy zwanej Mangalią.

– Naprawdę? – W tym samym momencie spojrzeli po sobie, a potem wymienili lekko spłoszone uśmiechy. – Musimy sobie sprawić coś odpowiedniego. Jest tu jakieś centrum handlowe?

– Jeżeli chcesz się wtopić w tłum, proponuję bazar – odparł Wiktor. – Pytanie, czy chcesz, a jeśli tak, to dlaczego? Jesteście przecież turystami, no nie?

Znów te spłoszone spojrzenia, które Wiktora zaczęły jednocześnie bawić i wkurzać.

– Widzisz, przez jakiś czas żyliśmy… że tak powiem…
na świeczniku – zaczął mężczyzna. – Mamy dosyć zainteresowania prasy i zwykłych ludzi. Chcielibyśmy, jak to
trafnie określiłeś, wtopić się w tłum. Nie rzucać się w oczy.
Być jak tutejsi, jedni z wielu.

– Z taką urodą Cristine zawsze będzie się wyróżniać. –
Helert zwrócił się do kobiety z kurtuazyjnym uśmiechem. – Choćby włożyła jutowy worek i tak przyciągnie
spojrzenia tutejszych.

– Bywają… namolni? Niebezpieczni? – Greg pochylił
się lekko ku niemu, a głos mu stwardniał. Widać niejedną
potyczkę o swoją piękną żonę miał za sobą. Cóż… mógł
wybrać sobie towarzyszkę skromniejszej urody.

Wiktor zamyślił się. On sam, gdy wpadła mu w oko
jakaś ślicznotka, po prostu ją sobie brał, nie zważając na
zgody czy niezgody jej faceta. Chyba że laska sama nie była
zainteresowana, wtedy odpuszczał. Odpuściłby. Do tej pory
mu się nie zdarzyło, żeby któraś z tutejszych na niego nie
poleciała. Może sprawdzić swój *urok* na… nietutejszej?

Popatrzył na kobietę, która siedziała naprzeciw, a gdy
uniosła na niego wzrok, przytrzymał jej spojrzenie, usid-
lił ją w swych czarnych źrenicach na kilka uderzeń
serca. Pokraśniała, zmieszana i zerwała kontakt. Za to jej
facet… on zmrużył lodowate oczy i, kręcąc ledwo zauwa-
żalnie głową, posłał Wiktorowi ostrzeżenie bez słów:
nawet nie próbuj. Ten uśmiechnął się tylko. Jeśli Cristine

da najmniejszy znak, że jest zainteresowana, Helert spróbuje. A jakże!

– Czy miejscowi potrafią bezczelnie narzucać się czyimś żonom? – Smith powtórzył pytanie nieco ostrzejszym tonem.

– Tylko jeśli nie potrafisz swojej upilnować albo ona otwarcie prowokuje – odparł Helert, niedbale obracając szklankę w dłoni. – Wtedy będziesz miał problem. Twoja kobieta także.

Nie patrzył na Cristinę, całą uwagę poświęcając mężczyźnie, czuł jednak na sobie jej ukradkowe spojrzenia.

Tamtego dnia brał je za próbę nawiązania bliższej znajomości.

Nie mógł się bardziej mylić…

*

Zadra zdążył przestawić się z piwa na bimber. Pierwszą szklaneczkę wychylił jednym haustem, rozkaszlał się, przegryzł kawałkiem kiełbasy i rzekł z uznaniem:

– Mocna sucz. Pij, Wiktor. Jak zawody, to zawody.

– Daj spokój – odmruknął Helert. Naprawdę nie miał ochoty urżnąć się w trupa ze znienawidzonym wrogiem.

Nagle zesztywniał. Na tarasie piętro niżej rozległ się głos kobiety. Odpowiedział jej mężczyzna. To sąsiedzi akurat teraz zapragnęli odetchnąć świeżym powietrzem. Szlag!

Dolał Zadrze bimbru, ujął swoją szklankę i jak gdyby nigdy nic wyszedł na balkon, popijając mocny jak nieszczęście alkohol małymi łykami. Rzucił okiem w dół, gdzie na tarasie sąsiadka rozwieszała pranie sąsiadka i zanim wyrzekła kolejne parę słów, które wyraźnie mógł usłyszeć Jan Zadra... ups!, szklanka wyślizgnęła się Wiktorowi z palców i rozbiła piętro niżej, opryskując zaskoczoną kobietę swą alkoholową zawartością.

– Sorry! I'm sorry, Cristine! My apologize! – zakrzyczał, przechylając się przez balustradę.

Kobieta spojrzała w górę. Jej oczy zogromniały.

– Should I come and clean up this mess? Zejść i posprzątać ten bałagan? – musiał zapytać.

– Oh, c'mon, Victor. No worries at all! – Zamachała rękami, po czym zniknęła w domu.

Gdy miał pewność, że już się nie pojawi, wrócił do pokoju, gdzie Zadra przyglądał mu się, obracając w dwóch palcach pustą szklankę.

– Fuck, zawsze sobie u nich nagrabię – mruknął Wiktor, strzepując z bluzy krople alkoholu. – Wczoraj spuściłem jemu na głowę gacie, oczywiście niechcący, dziś mało nie zabiłem kobiety szkłem. Wypierdolą mnie z tej chawiry prędzej czy później...

– Często ci się to zdarza? – zapytał bez ciekawości Zadra, którego w tym upale procenty już zaczęły rozbierać. – Rzucać w ludzi szklankami?

– Mam problemy neurologiczne – odparł Helert z wyraźną niechęcią. – Jak pamiętasz, kula uszkodziła mi mózg. I, owszem, czasem coś wyleci mi z ręki. – Spojrzał na swoją dłoń, zacisnął i rozwarł palce. – Pieprzyć to – mruknął do siebie i pociągnął długi łyk przyjemnie chłodnego napoju. – Na czym stanęło? Za co chcesz mi płacić moimi pieniędzmi?

Zadra zarechotał.

– Dostaliśmy cynk, że poszukiwany zabójca wypłynął z Cypru wynajętym jachtem i przybił do brzegu gdzieś tutaj. Mangalia... Eforie... może Konstanca? Dyskretnie sprawdzamy wszystkie nadmorskie miasta, a że ty jesteś miejscowy, zajmiesz się tym zadupiem i oszczędzisz rządowi wydatków. Znasz tutaj wszystkich, co nie?

– Przeceniasz mnie. I ty, i ten cały rząd. To spore miasto.

– Helert, ja nie przyszedłem prosić, ja ci wydaję rozkaz.

– Wiesz, gdzie mam twoje rozkazy? Spróbuj się domyślić. – Twarz młodszego mężczyzny wykrzywił ironiczny uśmiech.

– Nie będę myślał o twojej dupie, choć być może o tym marzysz – zaczął Zadra – znaj jednak serce pana: do tych pięciu dych dorzucę pewną informację, za którą zrobiłbyś mi laskę, gdybym tylko reflektował.

Uśmiech zgasł. Wiktor aż oczy zmrużył z wściekłości za tę zawoalowaną zniewagę. Ale zmilczał, czując podświadomie, że za chwilę dowie się czegoś naprawdę istotnego. Tamten trzymał klucze do jego przeszłości. Za byle jej strzęp Wiktor... może niekoniecznie obsłużyłby Zadrę oralnie, jednak dałby wiele. Naprawdę wiele.

Jan Zadra czytał w młodszym mężczyźnie niczym w otwartym e-booku. I teraz on się uśmiechał.

– No to co, Wikuś? Na kolana i do roboty? – Udał, że sięga do rozporka, ale w następnej chwili zarechotał, wyciągnął z kieszeni marynarki portfel i...

– Masz. Zaliczkowo.

Zdjęcie, które Zadra wyjął z przegródki portfela, wylądowało na stole między nimi. Wiktor spojrzał na nie i zakrztusił się piwem. Znał tę twarz, te oczy i włosy. Znał ten uśmiech. Śniły mu się od paru tygodni, dokładnie od dnia, kiedy omal nie skrzywdził pewnej kobiety. I nie znienawidził za to samego siebie. Ujął zdjęcie w dwa palce i wyszeptał:

– Nisia...

A potem usłyszał zimny głos Zadry:

– Dokładnie, Helert. To jest, czy raczej była, twoja Nisia.

Przez długie chwile w niewielkim pokoju panowała cisza. Wiktor chłonął wzrokiem obraz dziewczyny ze snów. Zadra popijał małymi łykami bimber. Nagle wyrwał zdjęcie Helertowi z ręki i zanim ten rzucił mu się do gardła, by je odzyskać, rzekł równie zimno, co przed chwilą:

– Masz dwa tygodnie na sporządzenie raportu: wszyscy Polacy mieszkający w Mangalii i okolicach. Każdy, kto wyda ci się podejrzany albo podobny do poszukiwanego mordercy. Zrobisz to i dostaniesz zdjęcie swojej Nisi, napiwek w wysokości pięćdziesięciu tysięcy i może jeszcze parę dla ciebie bezcennych informacji. Deal?

Wiktor milczał przez parę uderzeń serca, patrząc nie na Zadrę, a na morski bezmiar, lśniący tuż za oknem, może dwadzieścia metrów stąd. Wreszcie oderwał oczy od hipnotyzującej toni i odparł:

– Pewnie. Nie ma sprawy. Zajmę się tym i za dwa tygodnie dostaniesz dokładny raport. Muszę tylko uruchomić pewne kontakty…

– Nie interesują mnie szczegóły – uciął Zadra.

Wychylił piwo do dna i sięgnął po następną szklankę z bimbrem, wracając wzrokiem do ekranu telewizora. Tam cały czas przewijały się zdjęcia nieżyjącego Prezydenta, jego zabójcy, filmiki z samego zamachu i przemówienia oficjeli. W drugą rocznicę tej tragedii w Polsce nie mówiło się o niczym innym. Może jeszcze o nieudolności służb, które do tej pory nie wpadły na ślad poszukiwanych.

Nagle roześmiał się, mocno już podcięty.

– Patrz, Wikuś, jak się plują. – Wskazał szklanką czołowego polityka, który wygłaszał akurat płomienną mowę na cześć zamordowanego. – Ten skurwysyn najbardziej.

Zupełnie jakby kochał tamtego szmaciarza. A przecież nienawidził go jak swojej starej.

Wiktor pokręcił tylko głową.

– Może odpuść sobie tę trzecią szklankę... – zaczął, ale Zadra odtrącił jego dłoń.

– A to, Wikuś... – znów zarechotał, widząc wylatujący w powietrze samochód, w którym dwa lata temu zginął Prezydent. – To przecież nasza robota.

Oczy przysłuchującego się temu bełkotowi mężczyzny rozszerzył szok.

– Co ty pieprzysz?!

– Jakbym pieprzył, to bym dupą ruszał – obruszył się Zadra. – Wiem, co mówię. Pomagałem partaczom sprzątać po tym szajsie.

Wiktor spojrzał na niego z niedowierzaniem.

– Czy ty jeszcze kontaktujesz? Wiesz w ogóle, co przed chwilą powiedziałeś? Co sprzątać? Kogo sprzątać? Ej, moczymordo, nie zasypiaj! – Potrząsnął nim za ramię, bo Zadra odchylił głowę na oparcie kanapy i przymknął oczy. – Ten zamach to robota naszych służb?! Przecież ten zabójca, Hubert Karling, dostał zlecenie na Prezydenta od ruskich!

Zadra zaśmiał się bełkotliwie, odpychając jego dłoń.

– Jedynym ruskim w tej szopce był Putin, przemawiający na pogrzebie. Żaden inny nie maczał w tym gównie brudnych paluchów. O, ten, co znów nieszczere łzy leje nad grobem swojego poprzednika, jego byś zapytał, kto to wszystko zorganizował, cały ten zasrany burdel. – Nagle otworzył szeroko oczy i rzucił zupełnie innym tonem, całkiem przytomnym. I tak zimnym, że Wiktor poczuł nieprzyjemny dreszcz na kręgosłupie: – Musimy go mieć! Trzeba zdjąć tego biednego skurwysyna.

– Kogo, na Boga?!

– Huberta Karlinga.

– O zabójcy Prezydenta mówisz „biedny"? Żal ci go czy co? – Wiktor wiedział to, po prostu wiedział, ale musiał usłyszeć potwierdzenie z ust półprzytomnego Zadry.

– Widzisz, Wikuś… – Tamten przyciągnął go do siebie za przód bluzy i wyszeptał: – Karling musi dostać kulkę między oczy, bo on wie… jeszcze tylko ten głupi, biedny skurwiel wie, jak podle został wrobiony. Cała reszta wykonawców… Posprzątane. – Urwał, puścił Wiktora. – A ten szlocha nad grobem… – dodał, patrząc z politowaniem na Prezydenta Rzeczypospolitej Polskiej, przemawiającego łamiącym się głosem do zgromadzonego na Powązkach tłumu. – Ładna ta twoja sąsiadeczka? – Zmienił nagle temat. – Może wpadłbym do niej z wizytą? Nabrałem ochoty na małe rżnięcie.

Zaczął się podnosić, ale Wiktor pchnął go z powrotem na kanapę, patrząc przed siebie niewidzącym spojrzeniem. Wiedział jedno: musi trzymać bydlaka jak najdalej od sąsiadeczki i jej męża, bo przed chwilą Zadra potwierdził to, co Wiktor wiedział od miesiąca. Od nocy, kiedy omal nie zeszmacił się doszczętnie...

*

Obudził go łomot. Coś u sąsiadów rąbnęło o podłogę tak, że Wiktor aż usiadł na łóżku, od razu przytomny. Mnąc w ustach przekleństwa, wsłuchiwał się w odgłosy dochodzące z parteru. I był coraz bardziej wściekły.

Przez dwa tygodnie panował tam spokój, jakby nowych lokatorów w ogóle nie było. Helert jednak nie miał złudzeń: ta cisza zwiastowała burzę. Która w tej właśnie chwili się rozpętała. Znów coś rąbnęło o podłogę. Dobiegło go stłumione łkanie kobiety. Potem podniesiony głos tamtego. Grega-niech-go-szlag. I znów cichy, łamiący serce płacz. Wiktor zacisnął pięści i zaczął liczyć do stu, żeby nie zerwać się i nie pobiec jej na pomoc.

Wstał, nałożył na nagie ciało spodnie od dresu i cicho, bez jednego szmeru, ruszył do drzwi. Nacisnął klamkę. Chwila-moment i był piętro niżej. Zanim jednak wpadnie do mieszkania sąsiadów, by spuścić Gregowi wpierdol, musiał być pewien, że jest za co. W przeciwnym razie tutejsza policja spuści wpierdol jemu.

Kobieta po drugiej stronie drzwi szlochała, kneblowana dłonią – swoją albo tamtego. Wiktor zacisnął szczęki. Naprawdę z trudem słuchał jej stłumionego łkania.

„Odezwij się, skurwielu", rzucił w duchu. „Powiedz albo zrób coś, co pozwoli mi wejść do środka!".

I tamten odezwał się jak na życzenie klienta. A jego słowa spowodowały, że... Wiktor zmartwiał. Po prostu wcięło go.

– Danuśka, kochana moja... – Tak właśnie, po polsku!, zaczął facet, który przedstawił się jako Greg Smith. – Błagam cię, nie płacz. Przecież wiesz... Wystarczy jedno twoje słowo i pójdę tam. Zgłoszę się dobrowolnie. A ty będziesz wolna. Jedno słowo, kochana.

Długa chwila ciszy. Szloch kobiety brzmiał tak, jakby wtuliła twarz w jego ramię czy pierś. A potem słowa, wypowiedziane łamiącym się głosem:

– Jesteś moim życiem, Hubert. Jeśli ty odejdziesz, następnego dnia jestem martwa. Wiesz o tym. Już raz mnie ratowałeś. Nie odchodź. Damy sobie radę. Razem. Przepraszam... za to. Wypadły mi z ręki, gdy zobaczyłam... znów się zaczyna. Oni znów będą na nas polować...

Rozpłakała się ponownie.

Wiktor cofnął się cicho na schody, mając w umyśle i sercu całkowity mętlik. Aż do następnego ranka, kiedy to włączył telewizję i wiedział już wszystko.

Jakiego trzeba mieć pecha, cholernego pecha, żeby z całej Rumunii, gdzie tam Rumunii!, z całego parszywego świata, gdzie dziur, do których nikt normalny nie zagląda, jest bez liku, wybrać Mangalię? Miasto, w którym na stałe mieszka tylko jeden Polak? A w tym mieście dom, jakich tysiące i miliony, w którym tenże Polak zajmuje piętro? Jak trzeba być przeklętym przez los, by uciekać od wielu miesięcy przed takimi jak on, typami spod ciemnej gwiazdy, i w Mangalii, właśnie tutaj, trafić wprost na niego?

O tym Hubert Karling i Danka Rawit mieli się za chwilę przekonać.

Na razie jeszcze żyją w błogiej nieświadomości. W nocy ona się rozkleiła, stłukła naczynia, które niosła do kredensu, on się zapomniał, pocieszając ją po polsku. Tutaj, pośrodku niczego, miał chyba prawo?! Utulił ją, uspokoił i zasnęli, wtuleni w siebie, jak każdej nocy, gdy się odnaleźli. Na dalekim Cyprze.

Cypr stał się jednak dla nich niebezpieczny. Od przyjaciół dostali cynk, że są namierzani. Dostali też pieniądze, by mogli uciekać dalej. Wciąż dalej i wciąż uciekać. On – wrobiony w zabójstwo Prezydenta RP, ona – poszukiwana listem gończym za pomoc mordercy.

Hubert Karling był niewinny. Wierzyła w to tylko Danka i ci, którzy im pomagali. Dla reszty świata był zbrodniarzem, wartym na dzień dzisiejszy dwa miliony polskich złotych. Tyle wynosiła nagroda za jego głowę. Danka, gdyby była bardziej rozsądna i mniej zakochana, dawno by się po nią zgłosiła.

Ich sąsiad, niejaki Wiktor Helert, był rozsądny, a jakże, lecz ani trochę zakochany. Właśnie wpatrywał się lekko osłupiały w ekran telewizora, gdzie na polskim kanale nadawano materiały sprzed dwóch lat. Zamach na autostradzie. Samochód Prezydenta, z nim samym w środku, stający w płomieniach. Pogrzeb. Zapłakana Pierwsza Dama z małym synkiem, który nie bardzo zdaje sobie sprawę, że właśnie stracił tatę. Wreszcie zdjęcie zabójcy – Huberta Karlinga. I kobiety, dzięki której uciekł przed sprawiedliwością, a która jako żywo przypomina piękną sąsiadkę z parteru. Tylko włosy rozjaśnić, zdjąć okulary i będzie Cristine Smith vel Danuśka jako żywa.

– Ładnie-pięknie – mruknął Wiktor do siebie, nie mogąc oderwać wzroku od ekranu.

Dwa lata wcześniej był w śpiączce. Rok temu nie miał jeszcze TV i musiał tę aferę przeoczyć, nie za bardzo ciekaw, co się dzieje w kraju i na świecie. Dziś już wiedział. Więcej, niż powinien. I co on ma, do cholery, z tą wiedzą zrobić?

Piętro niżej miał zabójcę i tę, która mu pomagała. Jego żonę, o ile ktokolwiek dał im ślub. Prędzej udają małżeństwo, co jest ich najmniejszym grzechem. Wiktor, jako prawy obywatel, powinien natychmiast chwycić za telefon, wybrać 112 albo jakikolwiek inny numer do polskich służb i donieść uprzejmie, że zna miejsce pobytu poszukiwanych, a potem zgarnąć dwa miliony złotych i żyć z tych pieniędzy długo i szczęśliwie.

Był niestety jeden problem: Wiktor nie był prawym obywatelem i miał państwo polskie, razem z jego sądami, policją i sprawiedliwością głęboko gdzieś. Czy dwa miliony w gotówce również? Nad tym się zastanowi. Ale najpierw pobawi się i Danką, i Hubertem, skoro już ma obydwoje w garści. Tylko trochę. Ciekawe, jak się zachowają, gdy któregoś dnia zagai do nich po polsku, używając ich prawdziwych imion...

Okazja nadarzyła się parę dni później, gdy wracał od mistrza Kima ostro trzepnięty jego słynnym, koreańskim soju. Wszedł do klatki schodowej i od razu natknął się na sąsiadkę, która siłowała się z krnąbrnym zamkiem w drzwiach.

– Pomóc, Danuśka? – rzucił przyjaźnie i... po polsku.

Ona poderwała głowę i zbladła tak strasznie, jakby miała zaraz zemdleć. Jej oczy zogromniały, wypełniając całą szczupłą twarz. Przypominały teraz dwie bezdenne studnie, wypełnione przerażeniem.

– P-przysłali cię? – wydusiła, ledwo łapiąc oddech. – Oni c-ciebie p-przysłali? – To nie było pytanie. Kobieta, bliska obłędu ze strachu, nie oczekiwała odpowiedzi. Mówić coś. Zagadać go. Wygrać trochę czasu, dzięki czemu Hubert, chociaż on, ucieknie. A przynajmniej spróbuje uciec.

„Jeśli dom jest otoczony, zastrzelą go!", coś zaskowyczało w duszy kobiety. Oczy wypełniły się łzami.

Siepacz, którego po nią wysłali, patrzył na te łzy zupełnie bez uczuć w nieruchomej twarzy.

Czyżby?

– Ej, nie płacz, sąsiadko. Nikt mnie nie przysyłał – odezwał się, a może nawet żachnął. – Prędzej wy przysłaliście siebie pod ten dach niż odwrotnie. Przypominam, że ja już tutaj byłem, gdy się wprowadzaliście. – Uniósł kącik ust w uśmiechu, ale ona nie wyglądała na równie rozbawioną.

Do tej pory była jedynie blada, teraz zaczęła się trząść na całym ciele, niczym szczeniak wrzucony do lodowatej topieli.

Nagle drzwi mieszkania otworzyły się na całą szerokość. Mężczyzna, który w nich stanął, ogarnął spojrzeniem intruza z pierwszego piętra i swoją żonę, drżącą, ze łzami spływającymi po policzkach, i… jednym susem był na klatce, wpadał między tych dwoje, chwytał tamtego pełną garścią za przód bluzy i warczał po angielsku:

– Co jej zrobiłeś? Dlaczego ona płacze?

Wiktor zacisnął palce obu rąk na jego nadgarstkach, syknął: „Trzymaj łapy przy sobie, gnoju!" i odepchnął go z całych sił pod ścianę.

Stali naprzeciw siebie, gotowi na wszystko.

Danka bez namysłu skoczyła między nich.

– Uspokójcie się, słyszycie?! Uspokójcie! – zakrzyczała po polsku.

Hubert spojrzał na nią z niedowierzaniem i zgrozą. Przecież pilnowali siebie nawzajem, by nie używać tego języka! Był jak czerwona strzałka: tu celować!

– On już wie! Wie, kim jesteś ty, wie, kim jestem ja i... – urwała.

Spojrzała na Wiktora. Patrzył na niego również Karling.

Wiktor zaś... z lekkim uśmiechem przeciągnął dłońmi po bluzie, prostując zmięty palcami Huberta materiał, po czym odparł beztroskim tonem:

– I nie wiem, co z tą radosną wiedzą zrobię.

Karling obrócił się na pięcie, chwycił żonę pod ramię i pchnął ją w stronę mieszkania, mówiąc napiętym, przyciszonym tonem:

– Pakuj się. To, co najpotrzebniejsze. Spieprzamy stąd.

Wiktor cmoknął i pokręcił głową.

– Nie radzę – rzucił z tym samym uśmieszkiem. – Dopóki tu jesteście, nigdzie z tym nie pójdę, nikomu nie powiem. Pieprzę fakt, że ściga was Interpol i polskie służby. Sam jestem poszukiwany, chociaż nie bardzo wiem, za co i przez kogo. Jeśli jednak spróbujecie się wymknąć... wykonam telefon tam, gdzie trzeba, i wystawię im was. Ot tak. A za dwa miliony, bo tyle, koleś, dają za twoją głowę, ruszę w rejs dookoła świata. Zawsze o tym marzyłem.

Karling słuchał tych słów, coraz silniej zaciskając pięści i szczęki. Danka spuściła głowę i łykała łzy, pokonana. Nie bała się o siebie. Gdyby coś się jednak stało ukochanemu mężczyźnie, umarłaby razem z nim. Tak po prostu. Hubert ocalił jej życie. Był jej życiem. Nie może go stracić!

– Mamy pieniądze – odezwał się zduszonym głosem. – Może nie dwa miliony, ale na rejs dookoła świata powinno wystarczyć.

Wiktor, szczerze zaskoczony, uniósł brwi. Skąd dwoje ściganych przez pół świata przestępców – w tym zabójca Prezydenta – dysponowało takimi pieniędzmi?

Mniejsza z tym. Zabawa trwa dalej.

– Chcesz mnie przekupić? – zapytał, jakby to, co powiedział Karling, nie było najbardziej jednoznaczną jednoznacznością. – Wysłałeś w niebyt Prezydenta RP i za pomoc w ucieczce proponujesz...

– Hubert nie zabił Prezydenta – odezwała się Danka z dziwną determinacją. Posłał jej pełne uznania spojrzenie. Była pod ścianą, a mimo to próbowała się stawiać? – Został w to zabójstwo wrobiony, rozumiesz? W r o b i o n y!

– Czyli co? Na siłę wcisnęli mu karabin snajperski w dłoń i zmusili, by pociągnął za spust? Jak niby go wrobiono i kto? Kogo o to podejrzewasz, że tak z ciekawości zapytam?

– Daj nam kwadrans. Piętnaście minut. Wyjaśnimy wszystko – w głosie kobiety zabrzmiało błaganie.

Wiktor udał, że się waha.

– Czas to pieniądz – zaczął powoli, patrząc kobiecie prosto w oczy. – Ile jesteś gotowa zapłacić, ty i tylko ty, za te piętnaście minut?

Zrozumieli go obydwoje. I ona, i on. Ona przygryzła wargę, z trudem panując nad łzami, on z kolei pobladł śmiertelnie. W oczach miał zarówno chęć mordu, jak i bezradność. Za chwilę będzie zmuszony dzielić się z obcym facetem ukochaną kobietą i – jeśli ją kocha, właśnie tak, bo ryzykując, że Helert ich wyda, ryzykuje nie tylko swoim życiem, ale i jej – zrobi to. Zaprowadzi ją na górę, do mieszkania tego skurwiela, przytuli na chwilę, wyszepcze parę słów, może właśnie „kocham cię", a potem pchnie do środka, zamknie za nimi drzwi i będzie stał pod tymi drzwiami, słuchał dochodzących ze środka odgłosów, może jej krzyków, tłumionych dłonią tamtego, może bolesnego szlochu – niejeden raz już to przerabiali! – a potem odbierze ją z powrotem, pożegna się ze skurwielem pokornie i... będzie czekał... oboje będą czekali, pakując się w nieprzytomnym pośpiechu, czy tamten pozwoli im odejść, czy zadzwoni na policję i za chwilę usłyszą huk wystrzału...

To wszystko przemknęło Karlingowi przez myśl, gdy stał w ciemnym korytarzu, zaciskając z całych sił pięści i zęby, żeby wytrzymać. Tak właśnie: bez ruchu i bez słowa.

– Zrobię, co zechcesz. – Usłyszał słowa Danki.

I chciał krzyczeć, chciał wrzeszczeć: „Nie ma mowy! Niech dupek wypierdala ze swoją łaską i niełaską!", ale kochał tę kobietę tak bardzo, że właśnie dla niej stał i milczał.

„Tylko ten jeden raz", przysiągł sobie w duchu. „Musimy kupić więcej czasu! Tylko ten jeden raz! Jutro… nie jutro, za godzinę już nas nie będzie! Gdy tylko ten bydlak ją wypuści, uciekniemy… jak najdalej… znowu…". Poczuł pod powiekami piekące łzy. Zamrugał, modląc się, by tamten ich nie dojrzał. Mógłby się pastwić nad nim i nad nią jeszcze bardziej. A przecież nie wiadomo, co mu chodziło po zboczonym łbie.

– No to zaczynamy zabawę – padły lekkie słowa.

Wiktor obrócił się i zaczął wchodzić na piętro, ciekaw, czy kobieta jest na tyle zdesperowana, żeby za nim podążyć, a jej mąż-nie-mąż na tyle, by ją do niego puścić. Byli. Oboje.

Gdy usłyszał za sobą jej pospieszne kroki, obejrzał się, szczerze zdziwiony. Patrzyła pod nogi. Napotkał spojrzenie tamtego, zabójcy Prezydenta, jeśli wierzyć telewizji, i nienawiść dźgnęła Wiktora prosto w serce. Gdyby był mniej odporny na takie spojrzenia, poczułby co najmniej niepokój, palnąłby się w czoło i już teraz zamienił wszystko w niewybredny żart. Jednak na Helercie, którego – przypomnijmy – pewien łachudra miesiąc w miesiąc nieodmiennie witał „cześć, bandyto", nic specjalnie wrażenia nie robiło. Skoro on, Wiktor, jest bandziorem, może podworować sobie z innego bandziora, no nie? Którego ścigali za zabójstwo Prezydenta RP, tak nota bene.

Tamten odprowadził ich wzrokiem.

Wiktor przepuścił Dankę przodem, sam zamknął drzwi na obie zasuwy i stał przez chwilę pod nimi, nasłuchując. Serio pan Szybkie Pięści ot tak pozwoli, by ktoś przeleciał jego kobietę? Niesamowite!

Pokręcił głową i ruszył do salonu, pośrodku którego owa kobieta drżącymi rękami próbowała rozpiąć suwak sukienki. I w tym momencie od oparów alkoholu musiał wyłączyć mu się mózg, bo następne, co Helert zarejestrował, to fakt, że w pijackim letargu półleży na sofie.

– Wiktor... – usłyszał nagle swoje imię, ciche jak westchnienie i... odebrało mu oddech.

Ten głos... ten ton... tylko jedna istota na całym świecie tak do niego mówiła.

Imię rozbłysło nagle w jego pozbawionym wspomnień umyśle.

– Nisia.

Burza kasztanowych włosów. Błysk zielonych oczu, tak pięknych i pełnych miłości, że aż bolało. I to ciche, czułe „Wiktor...". Otworzył szeroko oczy, zszokowany, i spojrzał na klęczącą przed nim obcą kobietę. Co ona tu robi?! Kto to jest?!

– Wiktor... – zaczęła raz jeszcze. – J-jak mam to robić? Jak lubisz? – Urwała. Po jej policzku spłynęła łza.

Aż się cofnął, przerażony.

– Boże jedyny... – Potarł twarz dłońmi. – Przepraszam. Wstań. Ubierz się.

Sam by się podniósł, podał jej rzeczy, pomógł nałożyć sukienkę, dopiąć suwak czy tam guziki, ale przecież nadal klęczała między jego kolanami, uniemożliwiając mu jakikolwiek ruch!

– To ja, ja przepraszam! – zaszeptała szybko, w panice, ocierając tę samotną łzę. – Podobasz mi się, jesteś pięknym mężczyzną, naprawdę, tylko...

Chciała wytłumaczyć, że kocha Huberta, że tak strasznie trudno jest się oddać innemu, ale przecież nie wolno w tej chwili wspominać o Hubercie! Nie wolno! Boże mój, spraw, żeby ten tutaj dał się szybko zaspokoić! Żeby nie miał żadnych zboczonych żądań! Nie uderzył mnie, nie kazał...

– Zrobię wszystko, czego pragniesz, potrafię... Wszystko, co chcesz... – Zatrzymać go! Nie pozwolić, by się rozmyślił! By chwycił za telefon i wybrał numer, który dla niej i Huberta oznacza wyrok śmierci!

Sięgnęła do spodni mężczyzny, za wszelką cenę chcąc mu udowodnić, że warto... warto dać jej szansę, ale on chwycił ją za nadgarstki i wstał gwałtownie, pociągając kobietę za sobą w górę. Spojrzała na niego w panice. Zmienił zdanie? Chce inaczej? Od tyłu? Co ona, do cholery, ma robić?!

Naciągnął z powrotem dżinsy, dopiął rozporek i schylił się po sukienkę, którą odrzuciła na fotel. Dopiero gdy podał Dance skrawek kolorowego materiału... zrozumiała. I zakrztusiła się szlochem.

– Nie chcesz mnie? Nie podobam ci się?

Pokręcił głową, znów przerażony: ona ma go za skurwiela, który gotów był przyjąć seks za milczenie!

– Proszę, przestań! – zaczął szybko. – Ja... to był durny... nawet nie wiem, jak to nazwać. Żart? Przepraszam. Mózg mi się zlasował. Nie zamierzałem cię wykorzystać. Nie chciałem upokorzyć. Raz jeszcze z całego serca cię przepraszam. Jeśli potrafisz, wybacz i zapomnij. Mam nadzieję, że twój facet też mi wybaczy.

Poczekał aż ona – jeszcze nie do końca wierząc w to, co słyszy, jeszcze obawiając się podstępu czy jakiejś chorej gry – nałoży sukienkę, pomógł jej zapiąć suwak i odprowadził do drzwi.

– Jesteście w tym domu, pod tym dachem bezpieczni. Możecie się tu ukrywać tak długo, ile trzeba. Nikomu nie zdradzę waszej tożsamości, bo sam zostałem zdradzony – dodał zmęczonym tonem.

A kiedy wyszła, zamknął drzwi, oparł się plecami o szorstkie drewno i trwał tak długie minuty, walcząc ze łzami. Nisia. Tak miała na imię jego miłość. Nie wiedział, czy to zdrobnienie od Dominiki czy od Weroniki, nie miał pojęcia, jak i kiedy ją poznał. Czy byli małżeństwem, czy jedynie ze sobą chodzili. Wiedział jedno: kochał ją i zabił. I wiedział coś jeszcze: Zadra też tę rudowłosą, zielonooką Nisię kochał. I również ją stracił. Dlatego nienawidził Wiktora Helerta całym sercem.

ROZDZIAŁ III

Nie tyle przeprowadził, co przeniósł schlanego do nieprzytomności Zadrę do sypialni, zrzucił ciężar na własne łóżko i przez chwilę patrzył na niego z góry, rojąc sobie, co mógłby teraz znienawidzonemu wrogowi zrobić. Najchętniej skręciłby mu kark albo udusił poduszką, ale po pierwsze nie był mordercą, po drugie: zabić bydlę, a siedzieć jak za człowieka? Bez sensu.

Mógł jednak odebrać to, co swoje.

Sięgnął do wewnętrznej kieszeni marynarki i wyciągnął pięć plików banknotów. Trzepnął nimi zadowolony we własną dłoń. To była jego renta. Jego żołd, który dostawał od polskiego rządu. Zadrze gówno do tej forsy.

Zawahał się, bo obszukiwanie nieprzytomnego wydało mu się wstrętne, ale musiał to zrobić, jeśli chce odzyskać drugi skarb. Z tylnej kieszeni dżinsów wyszarpnął portfel tamtego i oto po chwili patrzył na śliczną, dziewczęcą twarz, okoloną kasztanowymi kędziorkami. Zielone oczy uśmiechały się do niego nieśmiało. Dziewczyna miała we włosach biały kwiat, a na ramionach biały, lekki jak mgła materiał, domyślił się więc, że to zdjęcie z jej ślubu.

– Nisia… – szepnął, nadal nie znając jej pełnego imienia, i pogładził policzek panny młodej opuszką palca. – To był nasz ślub? Pół życia bym oddał, żeby dowiedzieć się czegoś więcej…

Nagle wściekły, doskoczył do Zadry, chwycił go za poły marynarki i potrząsnął z całych sił.

– Jak ona miała na imię?! Kim dla mnie była?! Co się z nią stało?! – krzyknął, sfrustrowany do granic i strzelił tamtego w twarz. Zadrze jedynie łeb odskoczył. Nawet nie uniósł powiek.

Helert odrzucił półtrupa z powrotem na łóżko, przeklinając go najparszywszymi słowami i chwilę łapał oddech, by się uspokoić. Zdjęcie przyciągało jego spojrzenie niczym magnes. Odłożył je niemal z czcią na szafkę nocną i z powrotem sięgnął po portfel, łudząc się, że znajdzie tam więcej fotografii, może jakieś notatki? Cokolwiek, co wróci jemu, Wiktorowi, choć odrobinę wspomnień, ale oprócz paru banknotów, karty kredytowej i dokumentów nie znalazł nic. Rozczarowany zabrał fotkę i wrócił do salonu. Ukrył skarb w szufladzie biurka, narzucił na ramiona bluzę od dresu, bo wieczór zrobił się chłodny, i ruszył do drzwi.

Nisia – Nisią, on musi pogadać z sąsiadami, zanim ściągną na siebie nieszczęście.

*

Po wydarzeniach tamtego nieszczęsnego wieczoru, kiedy to Wiktor ocknął się z sąsiadką klęczącą między jego udami, rzadko widywał Cristinę vel Danuśkę, a jej męża jeszcze rzadziej.

Raz jeden, tej samej nocy, tamten załomotał pięścią do drzwi i nie czekając na „proszę" czy „spieprzaj" Helerta, wtargnął do środka. Chwiejąc się od nadmiaru alkoholu, którym zapijał własne poniżenie, wściekłość, a przede wszystkim bezradność, stanął naprzeciw Wiktora i długą chwilę mierzyli się ponurymi spojrzeniami. Ten drugi był równie pijany co intruz i tylko czekał, normalnie nie mógł się doczekać, aż Hubert Karling rzuci się na niego z pięściami.

– Słuchaj, koleś – zaczął nieproszony gość – to, co jej zrobiłeś...

– Nic jej nie zrobiłem – przerwał mu Wiktor warknięciem.

– Myślisz, że jestem taki naiwny, by ci uwierzyć?

– Wierz, w co chcesz. Nie tknąłem twojej żony. Jeśli ona twierdzi inaczej – łże.

– Danka mówi… – urwał, posłał Helertowi wściekłe spojrzenie. – Taki ogier by nie skorzystał?

– Nie skorzystał.

– Zostawiłeś ją sobie na później? Jeszcze nas trochę podręczysz? Poszantażujesz? – Głos mu się lekko załamał.

Odchrząknął, odetchnął głęboko, by przegonić rozpacz ściskającą gardło. W taki sposób byli oboje traktowani przez ostatni rok. Milczenie tych, którzy zgodzili się pomóc ściganemu zabójcy i jego żonie, kosztowało. Nieliczni przyjaciele, którym mogli ufać, zdobywali pieniądze, ale innym wciąż było mało i mało. On, Karling, niewiele mógł dać, sprzedać nie miał co, lecz Danusia… jego piękna żona… Była gotowa na wszystko. I nieraz tę jej rozpaczliwą desperację jeden z drugim parszywie wykorzystywali.

Nienawidził ich i siebie. Siebie nawet bardziej za to, że pozwalał Dance sprzedawać się za milczenie. Gdyby pozwoliła mu odejść… zniknąć… zabić się, zrobiłby to już dawno, ale ona, wracając od tamtych, czasem ledwo żywa z wyczerpania, bólu i upokorzenia, błagała Huberta: „Zostań ze mną. Bez ciebie nie potrafię żyć. Nie zniosę po raz drugi twojej śmierci. Zostań ze mną, kochany".

Musiał więc żyć. Dla niej. Dla Danuśki.

– Pozwól nam odejść. – Podniósł na Wiktora zmęczone oczy. – Proszę jedynie o to: pozwól nam zniknąć.

Ten wstał, podszedł do mężczyzny i odparł:

– Powiedziałem, że tu jesteście bezpieczni? Powiedziałem. Nie doniosę na was, bo nie jestem kapusiem, nie potrzebuję nagrody, a poza tym... – Zawahał się, szukając właściwych słów. – Pewnie bym jej nie odebrał. Nie mam pojęcia, co nawywijałem w poprzednim życiu. Nie pamiętam nic, co wydarzyło się przed postrzałem. – Dotknął miejsca, które przeorała kula. – Wiem tyle, że mam tu siedzieć i się nie wychylać, jeśli mi życie miłe. Jeżeli ma cię to pocieszyć: facet, który pilnuje, bym siedział w Mangalii na dupie i nigdzie się stąd nie ruszał bez pozwolenia, mówi do mnie „bandyto”. Prawdopodobnie byłem gangsterem. Bóg jeden wie, co mam na sumieniu i kto za co chciałby się ze mną policzyć. Za co oberwałem kulę w łeb. Tak więc możemy sobie podać ręce. Ty jesteś mordercą...

– Nie zabiłem Prezydenta! – wściekł się Karling. – Wrobili mnie w ten zamach!

Wiktor uniósł dłonie w geście poddania.

– Nie wiem, jak było. Leżałem wtedy półmartwy na OIOM-ie. A gdy zmartwychwstałem, mało co mnie obchodziło. Nie śledziłem wiadomości. To jest twoja prawda czy może twoje łgarstwo, którym karmisz Dankę...

– Nie wspominaj, łachudro, o mojej żonie! – Tamten ponownie chciał go złapać za przód bluzy, ale Wiktor był szybszy.

Chwycił go za nadgarstek i wykręcił mu rękę tak, że Karling aż przykląkł.

– Chcesz mordobicia, nie ma sprawy – usłyszał cichy głos tuż przy uchu. – Jednak nie dziś i nie tutaj. Ja nie mam ochoty sprzątać burdelu, który narobimy, czy szorować pokoju z twojej krwi. Jednak jutro, gdzieś w sympatycznym zakątku, może na tyłach domu... czemu nie.

Wiktor zwolnił uścisk. Karling wstał. Chwilę łapał oddech, wściekły i upokorzony do granic, wreszcie odezwał się:

– Zgoda. Jutro. Na tyłach domu.

– Nie jestem twoim wrogiem – powtórzył z naciskiem Helert.

Tamten pokręcił tylko głową.

– Ściągniesz na siebie uwagę.

– Cykasz się?

Wiktor tylko prychnął.

– Nie, człowieku. Próbuję cię chronić przed twoją własną głupotą.

Mężczyzna, który zaczynał chyba trzeźwieć, przyjrzał mu się, jakby go widział po raz pierwszy w życiu. W jego oczach, dotąd lodowatobłękitnych, błysnęła odrobina nadziei.

– Jeśli... jeżeli podamy sobie teraz ręce... Odłożymy mordobicie na inny termin... Nie doniesiesz na nas glinom? – Naprawdę się pilnował, by brzmiało to jak pytanie. By Helert nie wyczuł w jego głosie błagalnych nut.

– Miałem sporo czasu, by wybrać 112.

Rzeczywiście. Gdyby chciał na nich donieść, zdążyłby zadzwonić po gliny ze sto razy albo osobiście pofatygowałby się na posterunek. To wreszcie dotarło do Karlinga. Potarł twarz dłońmi. Pokręcił głową.

– Sorry za to wszystko – odezwał się cicho. – Życie ściganego zwierzęcia nie jest łatwe.

Wiktor milczał. Jak niby miał go pocieszyć?

– Chciałbym... naprawdę bym pragnął jakoś udowodnić swoją niewinność, ale wszystko świadczy przeciwko mnie – ciągnął Karling zgaszonym głosem. – Byłem na miejscu zamachu, znaleźli tam łuskę z mojego karabinu. Próbowali mi zrobić po wszystkim samobójstwo i w obronie własnej musiałem zabić. Tak. Jestem mordercą, ale zamachu na Prezydenta dokonał kto inny, nie ja. Jestem, czy raczej byłem, żołnierzem. Należałem do Gniewu Orła. Przysięgałem służyć Ojczyźnie i Prezydentowi, a my, Gniewni, dotrzymujemy przysięgi. – Umilkł, bo głos zadrżał mu niebezpiecznie. Jeszcze chwila i mógłby nie powstrzymać łez.

Helert słuchał jego cichych, pełnych bólu i goryczy słów i myślał nad własnym życiem. Nad tym, jak nim samym manipulował niejaki Zadra. Człowiek, który znał przeszłość Helerta i mógł po prostu mu o niej opowiedzieć, a jednak bawił się jego kalectwem, bo tak właśnie brak wspomnień Wiktor traktował – jak kalectwo, ubytek duszy.

Zadra wydzielał mu informacje jak narkomanowi heroinę i cieszyła go totalna władza, jaką miał nad swoją ofiarą. Jej bezsilność. Rozpaczliwe próby wypełnienia pustki w miejscu, gdzie normalny człowiek ma wspomnienia, a więc tożsamość. Ów Zadra był przedstawicielem rządu RP i znęcał się nad Helertem dla własnej chorej przyjemności. Jeśli więc Helert może temu rządowi i jego przedstawicielom pokazać fakowca chociaż w ten sposób – ukrywając dwójkę zbiegów przez ten rząd ściganych – zrobi to z rozkoszą. Czy Hubert Karling zabił Prezydenta, czy też nie.

– Słuchaj, nie będę cię prosił ani błagał – zaczął – powtórzę tylko: zostańcie w tym domu. Tu. Jesteście. Bezpieczni. Nigdy więcej nie będę nagabywał twojej żony. To, co zrobiłem, poniżenie, jakie jej bezmyślnie zafundowałem, było z mojej strony parszywe. Do niczego nie doszło. Nawet jej nie tknąłem. Mimo wszystko jest mi cholernie wstyd i proszę cię tak, jak prosiłem ją: wybacz i zapomnij. Dasz radę? – Wyciągnął do Karlinga dłoń.

Tamten patrzył mu długą chwilę prosto w oczy, wreszcie podał swoją i uścisnął.

A potem wyszedł.

Więcej się od tego czasu nie widzieli.

Tylko Dankę spotkał Wiktor parę razy, a to na schodach, a to na ulicy. Wymieniali grzeczne, acz chłodne „dzień dobry" i to by było na tyle.

Jednak teraz musiał się z obojgiem rozmówić.

Najpierw wytłumaczyć, czemu mało jej nie zabił szklanką z bimbrem, a potem ostrzec. Chyba nigdy nie byli bliżej gończych psów jak właśnie dziś, w tej chwili.

Zapukał do drzwi na parterze.

– Kto tam? – usłyszał ostrożne pytanie.

– Sąsiad.

Drzwi uchyliły się. Danka zaprosiła niespodziewanego gościa do środka, unikając jego spojrzenia. Jej mąż, który właśnie ćwiczył na środku salonu, nagi od pasa w górę, skinął Wiktorowi głową i rzucił:

– Daj mi chwilę.

Wyszedł do łazienki, zostawiając tych dwoje – żonę i sąsiada – samych.

– Jak wam się tu mieszka? – Wiktor obrzucił wzrokiem obskurne pomieszczenie, któremu Danka bezskutecznie próbowała nadać choć odrobinę przytulności, i wreszcie spojrzał wprost na nią. Musiała podnieść oczy i odpowiedzieć tym samym. W czarnych źrenicach mężczyzny była niema prośba o wybaczenie.

Wybaczyć to jedno, ale zapomnieć, jak klęczała przed nim, gotowa na wszystko i poniżona tak, jak tylko mężczyzna może upodlić kobietę, to zupełnie co innego.

– Nie narzekamy. – Wzruszyła ramionami. – Cisza, spokój. O niczym więcej nie marzę.

– Ukrywacie się od dwóch lat…

– Ja krócej. Przez rok myślałam, że Hubert nie żyje. Upozorowano jego śmierć. To było… straszne. Drugi raz nie zniosłabym jego utraty. To dlatego… zrobię wszystko, by żył. Wszystko, rozumiesz? – W jej głosie zabrzmiała determinacja. I gniew.

– Nie musisz się tłumaczyć.

– Nie muszę, ale też nie chcę, żebyś myślał o mnie „łatwa i chętna". Kocham Huberta, kocham mojego męża i to dla niego… – urwała, bo on właśnie stanął w drzwiach.

Śniada skóra na nagich piersiach, pod którą grały świetnie wyrzeźbione mięśnie, perliła się jeszcze od wody. Odgarnął z czoła ciemne włosy i przypatrywał się Wiktorowi ostrym spojrzeniem. Po co ten typ przyszedł? Będzie się targował? Jednak spróbuje ich poszantażować? Tyle razy w ciągu ostatnich dwóch lat to przerabiali…

– Mam niemile widzianego gościa – zaczął Helert bez wstępów. – Facet z policji, który pilnuje, bym siedział w Mangalii i się nie wychylał, wpadł z niezapowiedzianą wizytą.

Danka na słowo „policja" aż się zachwiała, przytykając do ust obie dłonie. Hubert przygarnął ją ramieniem i czekał... czekał na dalsze słowa Wiktora.

– Musicie się jakoś przyczaić. Ukryć na parę dni, dopóki ta gnida nie wyjedzie. Jeśli zobaczy ciebie albo ją... – Helert pokręcił głową. – Ja rozpoznałem was bez trudu. On właśnie po to tu przyjechał: wie, że przybiliście do brzegów Rumunii. Wie, że ukrywacie się w którymś z nadmorskich miast. Z przyjemnością tobie, Hubert, przystawiłby glocka do czoła i czekał na gliny. Nie chcę nawet myśleć, co zrobiłby w międzyczasie z Danką. To kawał skurwysyna rzadkiej wody. Musicie się ukryć – powtórzył z naciskiem.

Spojrzeli na siebie, zupełnie bezradni. Poszukiwanie teraz, pilnie, nowego schronienia ściągało na Dankę i Huberta uwagę miejscowych, wśród których byli gliniarze i tajniacy. Zwykły obywatel może nie śledził polskich portali czy kanałów telewizyjnych, może nie rozpoznałby w tych dwojgu poszukiwanych przestępców, ale służby miały ich zdjęcia na każdym posterunku.

Zabójstwo Prezydenta Polski, tak bezczelne, dokonane w biały dzień, odbiło się w Europie szerokim echem. Nagroda w zawrotnej wysokości ponad dwóch milionów lejów, za którą można było kupić sobie willę w Mamai i żyć dostatnio przez ładnych parę lat, była jeszcze większą zachętą. Nic, żaden haracz w naturze, nie powstrzymałby tutejszego gliniarza przed aresztowaniem Karlinga i jego żony. Jeśli stawialiby opór, zastrzelono by ich bez wahania. Właściwie już byli martwi. Wyrok odroczono, ale wisiał i nad nim, i nad nią nieuchronny, pewny jak śmierć.

Wiedzieli o tym oboje. Żyli w ciągłym strachu, że to ten dzień, ta godzina. Wiktor poczuł nagły podziw dla Danki, że potrafiła tak egzystować. Karlingowi było łatwiej. On, żołnierz, nie miałby problemu z przystawieniem spluwy do własnej skroni i pociągnięciem za spust. Ale ona? Była niczemu niewinna. Kochała przestępcę i walczyła o swoją miłość z całym światem. Oto jedyny grzech, jedyne przewinienie Danki Rawit.

Patrzyła teraz na ukochanego mężczyznę wielkimi, przerażonymi oczami, w których już pojawiły się łzy, i pytała bez słów: Dokąd? Gdzie się podzieją, skoro nie zdążyli jeszcze rozejrzeć się za nową kryjówką? A przyjaciele przyjadą, by ich stąd zabrać, dopiero za parę miesięcy?

– Jest takie miejsce – zaczął powoli Wiktor, widząc nieme błaganie w jej oczach – gdzie moglibyście przeczekać. Mój przyjaciel, Koreańczyk, mistrz taekwondo, być może was przygarnie. Zadra nie będzie tu tkwił w nieskończoność. Zwykle wpadał na dzień-dwa, zaliczał parę miejscowych barów i kilka tutejszych dziwek, po czym wracał do kraju. Postaram się tak obrzydzić mu życie, żeby się wyniósł jak najprędzej, ale... Do tego czasu musicie stąd zniknąć. Już dziś wieczorem wybierał się tu z wizytą. Stąd ta szklanka, którą omal ci głowy nie rozbiłem. Sorry, Danka, raz jeszcze.

Uśmiechnął się z zakłopotaniem.

Ona zaś... ujęła nagle jego dłoń, uścisnęła mocno i odparła zdławionym wdzięcznością głosem:

– Dziękuję. I przepraszam. Za wszystko.

– Daj spokój. – Wyswobodził rękę z jej uścisku, posyłając krótkie spojrzenie Karlingowi.

Nie spodobała mu się, rzecz jasna, ta wymiana czułości, ale musiał przełknąć i to, jeśli chciał żyć. Mimo wszystko ziarno podejrzenia, że w tamtą noc piętro wyżej coś się jednak między Danką a Wiktorem wydarzyło, wykiełkowało w nieufnym umyśle mężczyzny. Od tej pory będzie się przyglądał tej dwójce znacznie uważniej. Będzie śledził każde spojrzenie, jakim ona obdarzy sąsiada i każdy gest, jakim on na to spojrzenie odpowie...

Gdyby Danka zapragnęła odejść, góra pięć lat i byłaby wolnym człowiekiem. Nigdy więcej nie musiałaby się ukrywać. Nie umierałaby ze strachu za każdym razem, gdy ktoś puka do drzwi. Nie handlowałaby własnym ciałem, by kupić dla siebie i Karlinga jeszcze trochę czasu. Byłaby wolna. A taki Wiktor Helert czy inny pajac z chęcią by się piękną doktor Rawit zaopiekował.

Hubert był tego całkowicie pewien. I wiedział, że Danka niejeden raz w ciągu ostatniego roku o tym myślała. Miłość – miłością, ale życie w ciągłym zagrożeniu jest na dłuższą metę nie do zniesienia. I zabije każde uczucie.

„Idź do niego", pomyślał z nagłą niechęcią. „Taki prawy i rycerski, co to cudzej żony nie tknie, choćby prosiła się o to na kolanach... Idź do niego. Właśnie na kolanach. Tym razem Wiktorek na pewno nie odmówi".

W tym momencie go olśniło. Nagle zrozumiał, że jeśli Danuśkę kocha – a kochał ją ponad życie – musi ją od siebie odsunąć, a potem pchnąć w ramiona innego. Przy czym Helert, pieprzony przystojniak z zasadami, nadawał się do tego idealnie.

Hubert musi rozegrać to łagodnie – powie: „Kochana moja, musimy się na jakiś czas rozdzielić" – albo brutalnie, pieprząc się ze śliczną, młodą laską w ich sypialni: „Sorry, Danuśka, to nie jest tak, jak myślisz!", ale musi. W imię miłości. Zaciśnie zęby i wyrwie sobie z serca tę miłość, by... przeżyła. Chociaż ona. Danusia.

– Powinniśmy się rozdzielić – usłyszał ze zdziwieniem swój własny głos. – Jeśli możesz nam pomóc – to było do pieprzonego przystojniaka Helerta – znajdź metę dla mnie i dla niej. Ja spokojnie przeczekam w byle spelunie. Jeśli ten dom ma piwnicę...

– Dokładnie! Tam możemy się ukryć! – Danka aż klasnęła w ręce.

„Możesz, kochana moja, ale tylko ty. 'Nas' już nie ma". – Ja przyczaję się w piwnicy, ty zabierz Dankę do przyjaciela. Nie wiem dlaczego, ale ci ufam. Zaopiekujesz się nią jak ja. Prawda, Wiktor?

Ten może wyglądał na bezmózgiego mięśniaka, co robi karierę wśród miejscowych piękności na bazie swojej przystojnej gęby, ale głupi nie był.

„Co ty kombinujesz?". Czarne oczy, lekko zmrużone, mierzyły Karlinga cal po calu spojrzeniem bez krzty zaufania i przyjaźni. „Jeszcze wczoraj rzucasz mi się do gardła, bo nastawałem na cześć twojej żony-nieżony, dzisiaj ot tak: 'ufam ci', 'zaopiekujesz się'? Jeśli chcesz mnie w coś wrobić, to, przypominam uprzejmie, że ty masz więcej do stracenia niż ja. Przy czym twoje życie to najmniejszy problem…".

– Oczywiście – odezwał się na głos, nadal mierząc ni to przyjaciela, ni wroga podejrzliwym spojrzeniem. – Coś w tym jest. Łowcy nagród kojarzą was w parze: gdzie ty, Kajus, tam ona, Kaja. Osobno będziecie trudniej namierzalni.

Danka naraz wyrwała się ze stuporu, w jaki wtrąciło ją narastające zagrożenie. I tym razem łapała za ręce nie obcego faceta, a Huberta, któremu oddała serce i całą siebie dwa lata temu:

– Nie ma mowy! Kochany mój, chyba nie mówisz o tym na serio! To jest nasza siła, moja i twoja, że trzymamy się razem, na przekór im wszystkim! Jak możesz, ot tak, dysponować: ja tutaj, ty tutaj?! Znajdziemy kryjówkę. Przy pomocy Wiktora, naprawdę jestem ci wdzięczna, albo bez, ale damy sobie radę. Zawsze dawaliśmy! Pamiętasz? Dom w Bieszczadach... Tylko ty, ciężko ranny i ja... I pieprzony Darek Grójec tak blisko! Nawiedzał mnie bez uprzedzenia w dzień i w nocy, a jednak potrafiłam cię ukryć! Dawałam radę jemu wciskać kity...

– Za co on wciskał tobie co innego – przerwał jej brutalnie. Tak brutalnie i jednoznacznie, że ona umilkła, zszokowana, Wiktor zaś uciekł wzrokiem, zniesmaczony.

O to Hubertowi chodziło. Taki miał plan.

– Nie uda ci się – wyszeptała, kręcąc głową. – To ci się nie uda. Nie obrazisz mnie, żebym poszła w cholerę. Nie pozbędziesz się mnie. Wiktor – zwróciła się do drugiego mężczyzny – zaprowadzisz nas do tej piwnicy? Jeśli mamy się w niej ukrywać przez kilka dni, trzeba ją trochę dostosować, a czasu jest niewiele.

– Głos rozsądku – mruknął zapytany. – Wezmę klucze i możemy tam zajrzeć.

Poszedł na górę, sprawdził, czy Zadra nadal odsypia melanż piwa i bimbru, po czym zbiegł do piwnicy, gdzie już czekali Danka z Hubertem.

– Eksplorowałem to miejsce zaraz po wprowadzeniu się – zaczął, szukając po omacku włącznika światła. Chwilę później wąski korytarz rozjaśniła jedna marna żarówka. – Cztery piwnice – wskazał ciężkie, drewniane drzwi – ale ja chcę wam pokazać coś ekstra. Zadra w dupę może nas pocałować, nigdy nie znajdzie tej skrytki.

Poprowadził ich do pomieszczenia kotłowni, na samym końcu korytarza. Nie było niczym oświetlone. Wiktor, wiedząc o tym, zabrał ze sobą latarkę. W wąskim snopie białego światła ujrzeli potężny piec, teraz wygaszony, worki z węglem i stertę gratów pod niewielkim okienkiem. Znajdowało się tuż pod sufitem.

– Nie wiem, kto to wymyślił, ale był genialny. Albo zdesperowany. Jak wy – zniżył głos, podszedł do pieca i rozwarł jego drzwiczki na całą szerokość, a potem... wszedł do środka.

Hubert uniósł brwi. Danka, niespecjalnie zdziwiona, ruszyła po prostu za Helertem.

– Chodź, tu jest wejście do skrytki – zawołała cicho do męża.

Chcąc nie chcąc, pospieszył za nią.

Rzeczywiście, we wnętrzu pieca, który sięgał Hubertowi do brody, nie było zbyt wiele miejsca. Musiał się schylić, skulić ramiona i przecisnąć przez sprytnie zamaskowane drzwiczki po drugiej stronie. Prowadziły do niskiego korytarza, a ten do pomieszczenia, które musiało zajmować pozostałą część kotłowni. Miało może osiem metrów kwadratowych. Było długie i wąskie. Pod jedną ścianą leżała sterta sienników. Pod drugą stał mały stolik i niski regał, zawalony gazetami, kartami do gry i pudełkami zapałek. Zapas świec, stare, zardzewiałe puszki z tuszonką, wiadro na wodę i drugie, pewnie na nieczystości – ot, cały wystrój wnętrza. Było ohydne, ale człowiek ścigany przez służby nie będzie wybrzydzał. Tak się przynajmniej Wiktorowi wydawało.

– Jest idealne – wyszeptała Danka.

Hubert prychnął tylko. Posłała mu zaskoczone spojrzenie. On naprawdę nie powinien grymasić.

– Zniosę nasze rzeczy, uzupełnię zapas wody i jedzenia – mówiła dalej, nie zważając już na jego humory. – W dwie godziny się uwinę.

– Pomogę ci – zaoferował się Wiktor. – Trzeba przygotować zapasy na parę dni dla was obojga. Tak na wszelki wypadek. Później, jeśli ten łachudra nadal będzie w Mangalii, mówię o Zadrze, doniosę wam jedzenie i wodę.

– Damy sobie radę – uciął Karling. W jego głosie nie było za grosz wdzięczności.

Danka ponownie na niego spojrzała jak na obcego. Później, gdy zostaną sami, będzie musiała poważnie się z nim rozmówić. Hubert nie może, na litość boską, zrażać jedynego sprzymierzeńca! Są, do cholery, poszukiwani przez faceta, który w tej chwili śpi dwa piętra wyżej.

„Co ci odbiło?!", to mógł znaleźć w oczach kobiety, gdyby chciał czegokolwiek szukać, on jednak omiatał pomieszczenie obojętnym wzrokiem.

– Nie dziękuj tak wylewnie, przyjacielu, to naprawdę drobiazg – odezwał się zjadliwie Wiktor.

– Ja ci dziękuję. Z całego serca! – Danka posłała mu ciepły uśmiech. – Kiedyś, po wszystkim, zapraszam na pyszny sernik albo karpatkę. Jestem w tym mistrzynią.

– Na striptiz go zaproś – odezwał się Karling złośliwie. – To facetów kręci bardziej niż domowe serniczki.

Oniemiała.

Wiktor zgrzytnął zębami.

– Nie wiem, koleś, o co ci chodzi, ale jeśli masz do mnie jakieś wąty, wyjdźmy i pogadajmy na migi – wycedził.

– Do ciebie nic nie mam – rzucił Karling zimnym tonem.

Danka mogła się tylko domyślać, że to ją za coś karze. Za co? Nie miała pojęcia. Ale łzy nabiegły jej do oczu na taką podłość. I poniżanie jej przy obcym.

Hubert nigdy wcześniej się tak nie zachowywał! Był kochający i czuły! Nawet wtedy, gdy wracała od jednego czy drugiego łachudry, któremu za milczenie musiała płacić własnym ciałem, próbował ją wspierać! Co Karlingowi dziś odpieprza? Przecież między nią i Wiktorem do niczego nie doszło!

Ten ostatni posłał jej spojrzenie pod tytułem: „Też sobie ukochanego wybrałaś", po czym odwrócił się na pięcie i ruszył do drzwi. Chciała go zatrzymać, ale strącił jej dłoń z ramienia i wyszedł bez pożegnania.

Doskoczyła więc do Huberta. Rąbnęła go pięścią w pierś.

– Co ci odbiło?! – syknęła. – Życie ci zbrzydło?! Na jego miejscu poszłabym prosto na policję i zamiast wysłuchiwać twoich impertynencji, zgarnęła dwa miliony nagrody!

– Może właśnie jest w drodze...

– Hubert! Nie poznaję cię! Facet chce nam pomóc. Bezinteresownie!

– Na pewno? Skąd wiesz, czego zażąda za dzień albo dwa?

– Nie wiem, ale dostanie to, czego sobie zażyczy. Jak każdy przed nim. Jakoś nie miałeś skrupułów, posyłając mnie do tego obleśnego Turka w Kyrenii. Nie startowałeś do niego z wrednymi tekstami, gdy łaskawie po wszystkim odsyłał mnie ledwo żywą, taką... upodloną, zbrukaną. Wiesz, co mi robił?! – Głos jej się załamał. Na samo wspomnienie żółć podeszła do gardła. – Wiktor mnie nie tknął! A mógł! Byłam przed nim na kolanach, mógł... wszystko. Mimo to mnie nie tknął! I jeszcze prosił o wybaczenie. Czy któryś z tamtych wykazał się taką szlachetnością?! Traktowali mnie jak dziwkę, a ciebie jak sutenera, tak było! Nigdy nie powiedziałeś na nich złego słowa!

Karling odwrócił się do niej plecami i zacisnął powieki. Gdyby mógł, zafundowałby sobie lobotomię, żeby nie pamiętać. Nie czuć wstydu. Bo tak właśnie robił: prowadził swoją ukochaną kobietę do innych, licząc, że kupi dla nich odrobinę wolności. Potem słuchał jej cichego łkania i... nienawidził siebie bardziej, niż tych skurwysynów, co ją wykorzystywali.

Koniec z tym. Trafił się im dwojgu facet, któremu on, Karling, może powierzyć Danusię. Ma parę dni, żeby znienawidziła go tak, by odejść. Że też wcześniej na to nie wpadł...

– A teraz on, Wiktor, po prostu porządny człowiek. I ty, taki dla niego podły. I twoje słowa do mnie... – Umilkła.

A on nagle poczuł straszny żal. Musiał przygryźć wargę do krwi, żeby pohamować rwący gardło szloch. Kochał Danusię. Tak rozpaczliwie ją kochał... „I dlatego zrobisz wszystko, by się od ciebie uwolniła. Jesteś jej przekleństwem".

Poczuł dotyk drobnej dłoni na plecach, usłyszał ciche słowa: „Hubert, najdroższy, proszę cię... Przecież nie jesteś taki...", ale ani drgnął. Nie odwrócił się. Nie wziął jej w ramiona. Nie ukrył twarzy w jej włosach i nie poprosił szeptem o wybaczenie. Trwał nieruchomo dotąd, aż ona cofnęła rękę. Nic nierozumiejąca, rozżalona, bliska łez.

Do drzwi rozległo się ciche pukanie.

Wiktor, który właśnie przysypiał na kanapie w salonie – jego łóżko zajmował przecież pijany łachudra – poderwał głowę. Musiał się przesłyszeć... Nie! Ktoś nacisnął klamkę z nadzieją, że drzwi będą otwarte, a potem zapukał raz jeszcze. Helert poderwał się, w biegu nałożył na goły tyłek spodnie od dresu, pewien, że za drzwiami stoi Danka. Czego chce? Co może im być potrzebne?

Odsunął zasuwkę i... uniósł brwi ze zdumienia.

– Masz, facet, tupet – syknął na widok Karlinga. – Jak Boga kocham, jesteś albo głupi, albo odważny, a przede wszystkim bezczelny. Za tym drzwiami – wskazał za siebie – śpi menda, która na ciebie poluje, a ty, jak gdyby nigdy nic, przychodzisz w odwiedziny?

– Wyjdź na korytarz, pogadamy – odmruknął tamten w odpowiedzi, ale zamiast się cofnąć, nagle zrobił krok do przodu. Jego oczy wilczo błysnęły w ciemności.

Wiktor podążył za spojrzeniem Huberta i musiał się uśmiechnąć. Rzucił kpiąco:

– Co, chciałbyś chociaż liznąć?

Na stole leżał glock. Potężna, dziewiętnastostrzałowa spluwa, którą Zadra lubił wymachiwać Helertowi przed nosem, tudzież przystawiać mu ją do czoła.

– To twój? – Karling nie odrywał od broni głodnego spojrzenia.

– Nie. Mojego gościa. Chcesz, to bierz.

– Żartujesz...

– Nie żartuję. Częstuj się. Zadra tak się schlał, że nic nie będzie pamiętał z wczorajszego dnia. Wcisnę mu kit, że ruszył z tą zabawką w miasto i zgubił ją, czy przehandlował... – Wzruszył ramionami, zupełnie obojętny na los parszywca, któremu za utratę służbowej broni przełożeni łeb ukręcą.

Karling chwilę jeszcze przyglądał się błyszczącemu groźnie, czarnemu kształtowi, wreszcie z żalem odwrócił wzrok.

– Niepotrzebny kłopot – mruknął. – Gdy wpadnie tu brygada antyterrorystów, czy będę wymachiwał spluwą, czy zupełnie bezbronny stanę przed nimi z rękami w górze, i tak mnie zastrzelą jak psa. Jestem zabójcą Prezydenta, pamiętasz? Nie zasługuję na uczciwy proces.

– Pewnie – prychnął Wiktor. – Tłumacz sobie, jak chcesz. Ja tam myślę, że sam masz ochotę palnąć sobie w łeb i, prawdę mówiąc, wcale ci się nie dziwię. Mnie ukrywanie się w tej dziurze mierzi od dwóch lat. Gdybym musiał kryć się po piwnicach, spieprzać przy byle podejrzeniu, że mnie namierzyli, i handlować własną żoną, naprawdę wolałbym ze sobą skończyć.

– Zrobiłbym to, gdyby nie ona – wycedził Karling przez zaciśnięte zęby. – Danka nie przeżyłaby po raz drugi mojej śmierci. Ona... próbowała się zabić w dniu, kiedy ją poznałem. I wierz mi albo nie, udałoby się jej na sto procent. Jest lekarzem. Wie, co i jak.

Wiktor słuchał jego cichych, ale wściekłych słów w milczeniu. Żal mu było jego i jej, nie był im w stanie jednak pomóc. Mógł tylko wskazać miejsce, gdzie będą bezpieczni. Mógł przynosić im jedzenie i wodę. Tylko tyle. Dla Danki i Huberta pewnie aż tyle. Chociaż ten ostatni na wdzięcznego bynajmniej nie wyglądał.

– Po zamachu ludzie z Gniewu Orła upozorowali moją śmierć. Danka omal nie oszalała i, jestem pewien, spróbowałaby ponownie targnąć się na życie, gdyby znów została sama. Dla niej i tylko dla niej muszę trwać w tym piekle. Ja sam naprawdę mam dosyć ukrywania się jak szczur. Gdyby nie Danka, już dawno bym ze sobą skończył.

Mówił to twardym głosem. Nie użalał się nad sobą. Nie liczył na litość i jej nie potrzebował.

– Co zamierzasz? – odezwał się Helert, gdy tamten umilkł. – I nie pytam o najbliższe dni, które spędzicie w uroczym gniazdku za piecem.

– Chciałem cię prosić... Po to tu przyszedłem...
Zaopiekuj się nią.

Wiktor parsknął śmiechem. Nic nie mógł na to pora-
dzić, że prośba Karlinga go rozbawiła.

– Człowieku, przed chwilą powiedziałeś, że Danka
nie przeżyje twojej śmierci, a teraz „zaopiekuj się nią"?
Czy ty siebie słyszysz? Wiesz w ogóle, co mówisz?
Szczerze mnie nie cierpisz. Nie zaprzeczaj, facet, nie
polubiliśmy się i raczej już nie polubimy. Nawet głu-
piego „dziękuję" od ciebie nie usłyszałem za... mniejsza
z tym, za co. Ubliżasz mi, ubliżasz jej, a potem przyłazisz
tu, jak gdyby nigdy nic, bezczelny kretyn, i „zaopiekuj się
nią"? Sam się nią opiekuj! Może nieco lepiej niż do tej
pory. To ciebie kocha, taka sama kretynka, do tego stopnia, że gdyby dziś zgłosiła się na policję, odsiedziałaby
parę lat w dużo lepszych warunkach, a potem żyłaby jak
człowiek, a będzie siedzieć z tobą, w piwnicy. – Pokręcił
głową zdegustowany.

W ciemnościach, panujących na korytarzu, błysz-
czały tylko oczy Karlinga.

– Nie mam wyboru – rzekł cicho.

– Ano nie masz.

– Daj mi tego glocka.

– Proszę bardzo. – Wiktor wrócił do pokoju i po
chwili wręczał Hubertowi naładowaną broń. – Tak

à propos: masz zamiar odstrzelić Dankę, Dankę i siebie, czy tylko siebie?

Nie dostał odpowiedzi.

Karling zniknął tak cicho, jak się pojawił.

ROZDZIAŁ IV

Może była to lekkomyślność ze strony Wiktora, ot tak dawać zdesperowanemu facetowi do ręki nabitą broń, ale jeśli Karling chciałby zabić Dankę, zrobi to gołymi rękami, skręcając jej kark albo dusząc we śnie, zaś ze sobą skończy choćby przez wyhuśtanie. Glock w te czy we wte naprawdę nie robił różnicy. Tak rozmyślając, Helert – zupełnie rozbudzony – wyszedł na balkon. Daleko na horyzoncie pojawiła się srebrzysta poświata, zapowiedź świtu. Upił łyk niezłej whisky i... zakrztusił się palącym płynem, czując na ramieniu ciężką dłoń.

Obrócił się na pięcie niczym wściekła żmija i oto stał twarzą w twarz z przeklętym Zadrą. Całkiem przytomnym, tak nota bene.

„Chryste, mało brakowało, Karling, normalnie otarłeś się o śmierć!", zakrzyczał w duchu, żeby na głos rzec opryskliwie:

– Czego się czaisz?

– A co ty taki płochliwy? – odparł tamten podobnym tonem. Powiedzieć, że za sobą nie przepadali, to nic nie powiedzieć. – Będę się zbierał. Zabukowałem hotel na wpadek, gdybyś mnie potraktował z kopa.

Wiktor wzruszył ramionami. Bardzo chętnie wykopałby Zadrę ze swojego domu i swojego życia, ale niestety musiałby znów mu przywalić w ryj. Tym razem ten bandzior mógł być na to przygotowany, a Helert nie chciał jeszcze umierać.

– Nie widziałeś mojego glocka? – padło naraz.

– Widziałem. Nie dalej jak wczoraj po południu wymachiwałeś mi nim przed oczami.

– No i...? – W głosie Zadry zabrzmiały ostrzegawcze nuty, z czego Wiktor robił sobie równie niewiele jak z faktu, że podarował broń sąsiadowi z parteru.

– No i nie wiem. Spiłeś się, wyszedłeś z bronią na miasto. Wróciłeś półprzytomny i padłeś na progu. Musiałem wlec cię do sypialni. Nie grzebałem ci po kieszeniach. Nie sprawdzałem, czy jesteś w komplecie, czy zostawiłeś gdzieś gnata. Najwyraźniej go postradałeś.

Zadra przyglądał się Helertowi spode łba.

– Nie grzebałeś mi po kieszeniach, mówisz... Ale forsa zniknęła.

– To była moja forsa, przypominam uprzejmie – odparł Wiktor. Nie tak znowu uprzejmie.

Zadra przyglądał mu się przez chwilę spode łba, po czym rzucił zimno:

– Masz czas do południa, dokładnie osiem godzin, by glock znalazł się na swoim miejscu, czyli w kaburze. – Klepnął się po piersi. – Jeśli się nie znajdzie... – Zawiesił głos. – Zapłaczesz krwawymi łzami, Helert.

– W dupie mam twoje groźby. Było nie chlać na umór i pilnować gnata. Spieprzaj do hotelu, moczymordo. Chcę złapać parę godzin snu we własnym łóżku.

– Masz w dupie moje groźby, mówisz? – wycedził Zadra.

– Dokładnie tam.

– A ja miałem dla ciebie opowieść o twoich rodzicach... Taki ze mnie dobry wujek, że chciałem wypełnić luki w twojej pamięci...

Wiktor nagle spokorniał. Przypomniał sobie, kto trzyma klucz do jego przeszłości i... spokorniał. Zadra uśmiechnął się szeroko i rzucił:

– Oto cały Wiktor Helert. Niby taki odważny, a jednak mały chujek. Zwykły bandzior z matki kurwy i ojca alfon...

Nie dokończył. Helert w dwóch susach był przy nim, chwytał go za przód marynarki, podnosił do pionu i zanim tamten zdążył się osłonić, przypieprzał mu z całej siły w mordę. Z jednej strony. Z drugiej. I jeszcze raz. Zmęczenie zbyt długim dniem, frustracja i wreszcie nienawiść do tego bydlaka wzięły górę nad opanowaniem. Wiktor walił raz po raz, aż tamten – rosły przecież facet i napakowany – zaczął się chwiać na nogach, zalany krwią z rozbitego nosa i pokaleczonych warg.

Dopiero łomot spadającego na podłogę telewizora, na który tamten się zatoczył, otrzeźwił Helerta na tyle, że opuścił zaciśniętą pięść. Wziął głęboki oddech. Otarł krew z własnej twarzy, bo przecież i jemu się oberwało, i nieco trzeźwiejszy, już nie tak otumaniony wściekłością, spojrzał na Zadrę.

Ten półleżał, wspierając się plecami o ścianę. Wyglądał jak ofiara wypadku. Albo ciężkiego pobicia. Wiktor poczuł nagły niepokój. Zadra nie bronił się. Po prostu pozwolił na łomot. O co mendzie chodzi? Stanął nad nim z wyciągniętą ręką.

– Sorry – mruknął, bynajmniej nie czując wyrzutów sumienia. – Trochę mnie poniosło.

– Och, nie przepraszaj – wykrztusił tamten i nagle jego poobijaną mordę wykrzywił szeroki, mściwy uśmiech.

Wyciągnął z kieszeni spodni telefon, o dziwo nienaruszony, wybrał numer i zaczął po angielsku:

– Skurwiel rzucił się na mnie bez powodu! Z nożem! Jestem cały we krwi! Zamknijcie tego czubka, bo jeszcze kogoś zabije. – Podał adres, cały czas patrząc Helertowi prosto w oczy. – I karetka. Mam chyba przebite płuco, pluję krwią. – Rozłączył się i z tym samym uśmieszkiem rzucił: – Widzisz, chujku? Tak to się robi. Nie siedziałeś jeszcze w rumuńskim pierdlu? To posiedzisz.

Wiktor pobladł. Na samo wyobrażenie więzienia zrobiło mu się słabo. Kraty... stalowe drzwi z judaszem... szczęk sztab... ciemna cela... maleńki spacerniak...

Urywki wspomnień powróciły i zaczęły bombardować sparaliżowany przerażeniem umysł z taką siłą, że Helert – odważny przecież i twardy – zaczął drżeć. Musiał zacisnąć pięści, by Zadra tego nie zauważył. Rzucił szybkie spojrzenie w stronę balkonu, ale tamten cmoknął ostrzegawczo i pokręcił głową.

– Nie próbuj uciekać – poradził. – To małe miasto. Nikt ci nie pomoże.

Patrzył potem, jak nadzieja w oczach Helerta gaśnie. Jak zastępuje ją rosnąca panika.

– I co, bandyto? – odezwał się ze zwykłą pogardą w głosie. – Nadal masz moje groźby w dupie?

– Sprowokowałeś mnie celowo! – wykrztusił Wiktor.

Świadomość, że za chwilę skują go, a potem zamkną za kratami w małym, plugawym pomieszczeniu, odbierała mu zdolność logicznego rozumowania. Oprócz paniki nie czuł nic więcej i o niczym innym niż o więzieniu nie mógł myśleć.

W oddali rozbrzmiał przeciągły dźwięk policyjnej syreny.

Wiktor zacisnął na chwilę powieki, zbierając resztki sił, po czym wyrwał sobie z gardła pięć słów:

– Nie rób mi tego. Proszę.

– Za późno na pokorę, gnojku. – Zadra uśmiechnął się ponownie. – Następnym razem zastanowisz się trzy razy, zanim podpieprzysz mi służbową broń i będziesz rżnął głupa oraz chojraka. Ten glock ma się znaleźć. Poczekam, aż cię wypuszczą, dam ci kilka dni na odzyskanie broni i albo rozstaniemy się w przyjaźni, albo... – Tym razem również nie dokończył groźby. Wiktor nie potrzebował dalszej zachęty.

– Odwołaj gliny. Broń się odnajdzie w ciągu godziny. – Naprawdę musiał się pilnować, by jego w głosie nie zabrzmiało błaganie. Nie zniesie więzienia! Był już pewien, że spędził za kratami jakiś czas – długi czy krótki, nie miał pojęcia, wiedział tylko, że był to straszny okres, najgorszy w całym jego życiu.

Syreny rozbrzmiały pod domem. Wiktor poczuł łzy pod powiekami. Gdy do mieszkania wpadło dwóch uzbrojonych gliniarzy, jeszcze próbował się bronić, coś tłumaczyć, ale nikt nie zamierzał go słuchać.

– La pământ! Mâinile la ceafă! Am spus: mâinile la ceafă!*.

---

* jęz. rum.: Na glebę! Ręce na kark! Ręce, mówię!

Gdy skuwali mu nadgarstki na plecach i szarpnięciem podrywali w górę za wykręcone ramiona, poczuł
tak straszny żal, jak… kiedyś, dawno temu, gdy… tak, już
raz w taki sposób go potraktowano. Tylko wtedy zamiast
Zadry i jego wykrzywionej mordy miał przed sobą zielone oczy, pełne łez. I śliczną, delikatną twarz młodej
dziewczyny. Nisi. Płakała, prosząc policjantów, by go nie
zabierali. Błagała o litość dla Wiktora. A on ją…

Pchnęli go do wyjścia. Parę uderzeń oszalałego ze strachu serca później cisnęli do policyjnej suki. Drzwi zatrza-
snęły się. Miał przerypane.

Odgłosy awantury dwa piętra wyżej poderwały Dankę
i Huberta, ukrytych w piwnicy, na równe nogi.

– Co tam się dzieje? – wyszeptała, patrząc z niepokojem w sufit.

– Zdaje się, że to twój ulubieniec… Albo spuszcza
komuś łomot, albo sam obrywa.

Posłała Hubertowi urażone spojrzenie.

– No co, polubiłaś drania. Nie zaprzeczaj.

– Jestem mu wdzięczna. Tylko tyle. Nie musiał nam
pomagać. Nic go nie obchodzimy, jednak ukrył nas tutaj i…

Urwała, słysząc gdzieś w oddali dźwięki policyj-
nych syren. Nawet w nikłym świetle pojedynczej świecy
widział, jak zbladła. Ujął jej dłoń i uścisnął, wpatrując się

w sufit jak ona. Jakby mógł przebić wzrokiem betonowy strop i zajrzeć do mieszkania Helerta.

Wycie narastało. Danka przycisnęła dłoń do ust, tłumiąc jęk, jaki wydarł się jej z gardła.

– A co, jeśli Wiktor na nas doniósł? – musiała powiedzieć na głos to, czego oboje się obawiali. – Jeśli to po nas jadą?

Samochód zatrzymał się przed domem. Usłyszeli szybkie, ostre rozkazy i po chwili na schodach załomotały podkute buciory. Tamci pognali na piętro. Hubert z Danką mogli chwilowo odetchnąć.

– Może pozbył się tego swojego gościa, Zadry – wyszeptała, zaciskając palce na dłoni męża.

– Jest niegłupi. Tak może być – odmruknął uspokajająco.

Policjanci wracali, wlokąc kogoś za sobą. Zadra czy Helert? Danka zaczęła modlić się w duchu, by zabrali tego pierwszego… I nagle krzyk, rozpaczliwy krzyk: „Sprowokowałeś mnie, mendo! Niech cię szlag!", a potem trzaśnięcie drzwi furgonetki i znów dźwięk syreny sprawiły, że kobieta ponownie stłumiła jęk.

Zabrali Wiktora! Zabrali ich jedyną nadzieję na przetrwanie! Jeśli tamten drugi, Zadra, zostanie w domu… Będzie po nich! Nie odważą się wyjść z ukrycia dotąd, aż on nie zniknie! Już interesował się sąsiadami, Wiktor wyraźnie o tym uprzedzał. Tamten, podejrzliwy i czujny, na najmniejszy odgłos dochodzący z parteru, na pewno złoży im wizytę, a wtedy... Oby jedynie Danka była w domu. Oby nie dorwał Huberta. Zadra na pewno jest uzbrojony, na sto procent!

– Nieciekawie to wygląda – odezwał się szeptem Karling. – Cała nadzieja w tym, że tamo bydlę wyniesie się do hotelu czy w inną cholerę. Nie będzie chyba tkwił w mieszkaniu Helerta?

Gdyby w tym momencie widział Jana Zadrę, rozglądającego się z zadowoleniem po zdobycznym mieszkaniu, straciłby wszelką nadzieję.

ROZDZIAŁ V

———❧———

Pogotowie przyjechało i odjechało. Lekarz, czy kim tam był facet w czerwono-żółtym uniformie, zbadał Zadrę na odchrzań się, coś tam powiedział do drugiego, ten łamaną angielszczyzną rzekł, że nic nie jest złamane, nie ma zagrożenia dla życia i w ogóle „nie zawracaj nam dupy, pijusie", po czym spisał pobieżną obdukcję, rzucił na stół i już ich nie było.

Bardzo dobrze, bo przecież Zadra nie wybierał się do szpitala. Zależało mu tylko na pokazaniu krnąbrnemu szczeniakowi, kto tu rządzi. Na dopieprzeniu Helertowi tak, by następnym razem był nieco pokorniejszy i nie startował z łapami.

Za parę dni, gdy siniaki nabiorą pięknej, czarnej barwy, Zadra wybierze się na posterunek policji, gdzie przymknęli Helerta, i złoży zeznania. Trzeba będzie skonsultować się z tutejszym prawnikiem, coby nie przeholować. Parę tygodni w areszcie tamtemu wystarczy. Zadra nie zamierzał posyłać Helerta na dłużej za kraty. Deportacja też nie wchodziła w grę. Wiktor miał siedzieć na dupie w Mangalii. Ku uciesze Zadry, któremu dręczenie tego człowieka sprawiało psychopatyczną frajdę.

Oczywiście sam o sobie w tych kategoriach nie myślał. W swoich oczach był normalnym facetem, dobrym funkcjonariuszem, oddanym służbie i ojczyźnie. Tego, że w przeszłości, podczas misji w Kosowie, brutalnie zgwałcił jedenastoletnią Albankę, jakoś nie uważał za zwyrodnienie. Wojna. To, że miał obsesję na punkcie pewnej rudowłosej, zielonookiej dziewczyny i teraz mścił się na Wiktorze, bo wolała Helerta, a nie jego, również wyparł ze świadomości. Wszystko, co robił, miało jakieś uzasadnienie. Chory umysł psychopaty znajdował wytłumaczenie dla największych podłości.

Na przykład to, że Helert, zdaniem Zadry, przez samo swoje istnienie zasłużył na wszystko, co złe. Zadra wyciągnął go z poprawczaka, gdzie szczeniak siedział za skatowanie własnego ojca, tylko po to, by pchnąć gówniarza do więzienia. Tam Helert dostał taką szkołę, że przez parénaście lat jadł Zadrze z ręki. Wstąpił do służb specjalnych jako mafijna wtyka. Zyskał zaufanie gangsterskiej wierchuszki, a jako utalentowany haker, dostęp do jej wszystkich tajemnic.

Na początku nie chciał się w to mieszać. Pragnął odsiedzieć wyrok i wrócić do ukochanej, tylko tyle. Lecz Zadra już zadbał, by Helert nie miał dokąd wracać... Przez następne lata wypełniał rozkazy co do joty, bo jeśli nie, jego małej, rudowłosej Nisi stanie się krzywda. Tak to był sprytnie prowadzony przez swojego „przyjaciela".

Mniej sprytnie całe przedsięwzięcie się skończyło: operacja służb specjalnych zaczęła się chwiać, Helert wystawił im swoich bossów i już miał zostać wycofany z akcji – objęty programem ochrony świadków mógłby zacząć nowe życie ze swoją Nisią gdzieś na końcu świata – gdy... ktoś sypnął. Wiktor oberwał parę kul na progu własnego domu, tak że ledwo go odratowali. Zamiast nowego życia dostał rencinę od rządu i utkwił tutaj, w Mangalii.

Mafia sporo by dała za informację, że ich ulubiony, nieodżałowany haker przeżył. Zaś sam Helert równie dużo za poznanie prawdy o sobie: nie był bandziorem. Był agentem CBŚ rozpracowującym mafię od strony finansowej. Zadra nie miał jednak najmniejszego zamiaru dzielić się z nim tą wiedzą. To by zepsuło całą zabawę. Jeszcze Helerta trochę podręczy, zanim przełożeni odetną go od tej roboty.

Teraz więc Zadra przechadzał się zadowolony po zdobycznym mieszkaniu, zaglądał to tu, to tam, przerzucał jakieś papiery z biurka, grzebał w szufladach – w jednej z nich znalazł zdjęcie Nisi i zabrał je z powrotem, grzebał w ciuchach Helerta, bo… mógł. Tak, był trochę poobijany, bękart miał twardą pięść, ale on miał twardą głowę, umiał robić uniki. Oberwał tak, by wyglądać jak ofiara zderzenia z pociągiem, lecz chociaż gęba mu napuchła, stłuczone wargi rwały bólem i oddychać mógł tylko przez usta, bo nos chyba znów miał złamany, czuł się całkiem, całkiem, czego – był na sto procent pewien – nie mógł w tego chwili o sobie powiedzieć ten mały chujek. Wikuś.

Zadra uśmiechnął się szeroko.

Może jutro wybierze się do niego w odwiedziny?

Nie, lepiej pojutrze. Niech gnojek kruszeje w rumuńskim areszcie. Powodzenia. I wszystkiego najgorszego.

Wiktora traktowano nieco lepiej – ale tylko nieco – niż najpodlejszego bandytę. Miejscowi nie przepadali za „turystami", co wyprawiają burdy po nocach. Nie był pijany, sprawdzili to jeszcze w suce, chociaż całkiem trzeźwy też nie. I jak jeszcze burdę po pijaku mogliby wybaczyć, tak katowania innego „turysty" na trzeźwo już nie. Tym bardziej, że jak doniósł im lekarz z pogotowia, ten drugi był z policji. Polskiej, ale jednak. Gliniarze wszystkich krajów w takich sytuacjach byli solidarni. Sukinsyn podnosi rękę na któregoś z nich? To jakby do mnie startował. Na „dzień dobry" profilaktyczny wpierdol. A że Wiktor już był trochę naruszony, bo Zadrze udało się parę razy go dosięgnąć, tym lepiej. Można Helerta potraktować z pięści.

Wzięli więc, bezbronnego, w miejsce, gdzie nie ma kamer, dwóch przytrzymało go za skute na plecach ręce, a trzeci zaczął go naparzać, raz, drugi, trzeci… Walił jak w worek treningowy, ale lata ćwiczeń na więźniach i parę nieprzyjemności nauczyły go bić tak, żeby nie zabić, ot trochę poturbować. Cios w splot słoneczny, taki… średnio mocny…, po którym aresztant zawisł nieprzytomny między tymi, co go trzymali, zostawił sobie na koniec. Wiedział, że dopiero wtedy najwyższy stopniem rzuci: „Ma dosyć", i będzie po zabawie.

– Ma dosyć – padło w tym samym momencie.

Jasnowidz jakiś czy co?

Ocucili Wiktora wiadrem lodowatej wody, a gdy stanął o własnych siłach, łaskawie rozkuli i wepchnęli do małej celi bez okna, zatrzaskując za półprzytomnym mężczyzną ciężkie, stalowe drzwi.

– Tylko spokój ma być! – krzyknął jeszcze któryś i przywalił pałką z drugiej strony.

Helert osunął się na cienki materac, otarł przedramieniem krew, płynącą z nosa, owinął cienkim kocem i długie minuty trwał nieruchomo, walcząc z bólem i strachem. Tak. Bał się. Ale nie było to przerażenie obecną sytuacją, które czułby każdy człowiek.

On miał ten strach głęboko w sobie. Strzępki przeszłości – wspomnienia takich właśnie małych, ciemnych pomieszczeń, krzyki zza stalowych drzwi, bicie, poczucie całkowitej beznadziei – powracały, sprawiając Helertowi niemal fizyczne cierpienie. Jakby bólu skatowanego ciała nie miał dosyć.

Najgorsze było jednak przeświadczenie, że jest zupełnie sam. Zdany na łaskę i niełaskę, bardziej tę drugą, rumuńskich glin. Nikt się o niego nie upomni, bo przecież nikt nie wiedział, dokąd trafił – Zadra palcem nie kiwnie, by go stąd wyciągnąć – nikt nie przyjdzie sprawdzić, czy Helerta przyzwoicie traktują. Nikt nie uda się do polskiego konsula, by miał pieczę nad polskim obywatelem, przetrzymywanym w tutejszym areszcie. Nikt nie przyniesie mu fajek, za które Wiktor mógłby kupić choćby telefon do prawnika. Nikogo nie obchodził. Był sam.

Zwiesił głowę, czując jak do oczu napływają mu łzy.

Był twardym facetem, tak, ale w tej czarnej godzinie pozwolił, by popłynęły po umazanych krwią policzkach. Skapnęły na pokrwawione dłonie. Płakał bezgłośnie, a świat miał gdzieś te łzy. Bóg, którego litość poznał w poprzednim życiu, tym bardziej…

– Musimy się dowiedzieć, dokąd go zabrali – szeptała Danka, wykręcając z frustracji palce.

Chodziła w kółko po małym pomieszczeniu niczym zamknięta w przyciasnej klatce wilczyca i powtarzała:

– Bez niego nie damy sobie rady. Kędzior – to o ich

przyjacielu, jeszcze z Gniewu Orła, który przywoził im co kilka miesięcy pieniądze i czuwał nad ich bezpieczeństwem – będzie dopiero za cztery tygodnie. Zapasów mamy na trzy dni, wody...

– Wiem! – warknął wreszcie Karling, doprowadzony jej słowami i własną bezradnością do ostateczności. – Wiem, że nie zapewniłem nam ani bezpiecznej kryjówki, ani żarcia, ani wody. Wiem! I czuję się z tym parszywie. Kto jednak mógł przypuszczać, że Helert rozpracuje nas tak szybko? Że w zaplutej Mangalii natrafimy i na niego, i na gościa ze służb? Kurrrwa, Danka, wiem, że dałem dupy! Nie musisz mi tego od godziny wypominać!

– Przestań! – ucięła krótko. – Niczego nie wypominam. Panikuję, to fakt, ale nie obwiniam ani ciebie, ani siebie. Pech to pech. Podwójny. Raczej potrójny, bo kto przewidział, że Wiktora zgarną gliny? Panikuję więc i zastanawiam się, co robić. Czekać dotąd, aż skończą nam się zapasy, a on wróci, czy od razu szukać pomocy?

– Gdzie? Nie znamy tu nikogo... – rzucił zmęczonym tonem.

– Ale Helert zna. Pamiętasz, jak chciał mnie ukryć u przyjaciela?...

– Będziesz chodziła po mieście i wypytywała o przyjaciół Helerta? – zakpił z goryczą.

Zarówno on, jak i Danka nie mogli rzucać się w oczy i ściągać na siebie zainteresowania miejscowych. Może

Rumuni nie byli na bieżąco ze sprawami Polski, może niewielu z nich interesowało zabójstwo polskiego Prezydenta sprzed dwóch lat i nie zawracali sobie głowy zapamiętywaniem twarzy mordercy, jednak ktoś mógł ich skojarzyć.

Próbowali zmieniać wygląd. Włosy, okulary, soczewki. Ale wcześniej czy później wszędzie, gdzie się pojawili, ktoś zaczynał pilniej się im przypatrywać. Zarówno Danka, jak i Hubert nie wyglądali bowiem ani na tutejszych, ani na turystów. Mogli zafarbować włosy, ale rysów twarzy i jasnej karnacji zmienić nie potrafili i to odróżniało ich od Greków z Cypru czy Rumunów. Jeśli zaś chodzi o turystów... oboje nie mieli ich swobody i beztroski. Byli czujni i spięci. Ostrożni i płochliwi. Nie zdawali sobie z tego sprawy i to ich gubiło.

Danka za często oglądała się przez ramię, odruchem ściganego zwierzęcia, a Hubert zbyt rzadko wychodził z domu, jak na parę spędzającą beztroski miesiąc miodowy w pięknym, nadmorskim kurorcie. Nikt ich nie uczył, jak się konspirować, oboje przez całe życie byli prawymi, szanowanymi obywatelami. On służył Polsce jako żołnierz Gniewu Orła, elitarnej jednostki chroniącej Polaków za granicą, ona służyła tymże Polakom w kraju jako oddany lekarz. Jego „w podzięce" wrobiono w zamach na Prezydenta, ją równie podle w handel psychotropami.

Macocha-ojczyzna wypluła swoje wierne, niewinne

tego, co im zarzucano, dzieci i skazała na tułaczkę po obcych, ukrywanie się i życie w ciągłym zagrożeniu.

Gorzkie to było i przeraźliwie smutne. Hubert na początku buntował się przed życiem ściganego zwierzęcia całym sobą. Dziś zaczynało mu to obojętnieć. Powiesiłby się czy zapił na śmierć już dawno, gdyby nie „Kocham cię, nie zostawiaj mnie" Danuśki.

Lecz dziś pojawił się ktoś, kto mógł zdjąć z Karlinga to brzemię. Danka miała rację: trzeba wydostać tamtego drania z rumuńskiego aresztu za wszelką cenę.

– Mówił o Koreańczyku. Mistrzu taekwondo – odezwał się. – Ilu koreańskich mistrzów może być w tej mieścinie?

Uczepiła się jego słów jak tonący brzytwy.

– Odnajdę go. Spotkam się z nim. Poproszę, by wypytał o Helerta. Żeby zrobił dla niego wszystko, co trzeba. Od tego są przecież przyjaciele. Nasi... – Zawiesiła na chwilę głos. – Gdyby nasi wiedzieli, co się stało, też próbowaliby nam pomóc. Kędzior zorganizowałby przerzut w inne miejsce. Jak zawsze. Jest niezawodny.

Karling odrzekł bez przekonania:

– Pamiętasz, co mówił Helert? Psy wiedzą, że jesteśmy gdzieś tutaj. Szukają nas w Rumunii. Może Kędzierskiemu znudziła się ta niewygodna przyjaźń?

– W niego też zwątpiłeś? – Pokręciła głową ze zdumieniem i irytacją. – Może i ja twoim zdaniem przechodzę na stronę wroga?

Objął ją znienacka, przycisnął do siebie, wymusił długi pocałunek.

– W ciebie nie zwątpię nigdy – wyszeptał, czując pożądanie tak nagłe i tak silne, że aż zabolało.

Kochali się w ciszy i ciemności. Właściwie nie tyle „kochali się", co Karling brał Dankę mocno, niemal brutalnie, z jakąś rozpaczliwą zachłannością. Wystarczył jeden pocałunek, jeden dotyk kochanej dłoni na piersi, a potem między udami, by zwilgotniała, chwyciła tę dłoń i wsunęła głębiej, wprost w spragnione, pulsujące wnętrze.

Podwinął jej spódnicę i zsunął majtki. Naparł od tyłu lędźwiami, a ona rozchyliła zapraszająco nogi, wyginając się lekko, by mógł łatwiej w nią wtargnąć. Skorzystał z tego zaproszenia bardziej niż chętnie. Rozpiął zamek spodni, uwolnił od nich lędźwie i wziął ją jednym silnym pchnięciem. Tak właśnie, głęboko, aż po jądra. Wciągnęła powietrze, żeby nie jęknąć i zadygotała. Nie z bólu, no może troszeczkę, ale był to słodki ból. Zastygł na chwilę, jakby pytał, czy może raz jeszcze.

Naprawdę nie musiał pytać. Rzuciła pośladkami w tył, nadziewając się na jego prącie jeszcze głębiej, o ile to w ogóle możliwe i poddała się ulegle głębokim, szybkim suwom, wbijając palce w jego pośladki, zachęcając do jeszcze głębszych, jeszcze mocniejszych pchnięć. Otwierała się na niego szeroko, śliska i rozpalona.

Świeca zamigotała i zgasła. Zupełnie, jakby dawała tym dwojgu przyzwolenie na chwilę szaleństwa i zapomnienia.

Mieli świadomość ryzyka. Na górze był ktoś, kto tylko czyhał na głośniejszy jęk czy krzyk. I to podniecało ich jeszcze bardziej. Zakazana miłość. Zabroniona namiętność.

Czuła na skórze jego gęste, szorstkie włosy łonowe, między nogami twarde jądra, a w środku potężny pal, wypełniający całe wnętrze. Kochała ten moment, gdy trwają w bezruchu, złączeni w jedność. Tę chwilę przed jazdą bez trzymanki, kiedy on zacznie suwać w tył i w przód, brać ją czule, albo tak jak dziś – gwałtownie i brutalnie, niczym dziki kozak brankę. Gdy nie wiedziała jeszcze, na co on ma chęć i dokąd porwie ją ze sobą. Na łagodne jezioro spełnienia czy w rozszalałe odmęty żądzy. Tym razem chwila trwała krótko. Cofnął się, niemal z niej wychodząc, a potem wbił się ponownie. Mocno i głęboko, aż krzyknęła. Zakneblował ją dłonią.

– Ciiii – szepnął. – Ani się waż.

Skinęła głową, sięgnęła do tyłu i wbiła palce w jego pośladki, nadstawiając się niczym kotka w rui. Spodobało mu się to. Jej uległość i zachęta. Wziął ją ponownie. I jeszcze raz. Poczuł wilgoć łez pod palcami. Znieruchomiał, bojąc się, że robi jej krzywdę, ale ponagliła go. To nie były łzy bólu. Przygarnął ją drugim ramieniem, cały czas

trzymając prawą dłoń na jej ustach. Teraz stali się jednością. Falującą w tym samym rytmie, płonącą z pragnienia
jednością.

Brał ukochaną kobietę i dawał jej rozkosz mocno
i gwałtownie, w jakimś rozpaczliwym zapamiętaniu,
w całkowitej ciszy i ciemności, jakby to był ich ostatni raz.
Ona oddawała się jemu, płacząc bezgłośnie. Powtarzała
bez słów: „Kocham cię, mój najmilszy, kocham", zupełnie jakby wiedziała, o czym on myśli. Dlaczego przygar-
nia ją do siebie coraz silniej, dlaczego teraz ona czuje na
policzku jego łzy i dlaczego on kocha ją tak, jakby jutra
miało nie być. Jakby się z nią żegnał…

ROZDZIAŁ VI

Jan Zadra wyspał się całkiem wygodnie w łóżku wygryzionego z własnego domu Wiktora, wyczyścił mu lodówkę z wędliny, serów i warzyw, wchłaniając pożywny posiłek i z samego rana ruszył na dalsze zwiedzanie. Na dworze pokazać się nie mógł, nie z obitą gębą, ale sąsiedzi, którzy na pewno słyszeli nocną bijatykę, powinni się wykazać zrozumieniem.

Zszedł na parter i zapukał do drzwi.

Nic. Cisza.

Nacisnął na klamkę. Ustąpiła.

Czy to Danka w pośpiechu nie zamknęła mieszkania na klucz, czy Hubert uznał, że intruz, który będzie chciał dostać się do środka, i tak wejdzie – nie wiadomo. Wiadomo, że Zadra pchnął drzwi, krzyknął po angielsku:

„Halo, dzień dobry!". Odpowiedziała mu cisza, więc wszedł jak do siebie.

Z tym że on zamknął za sobą drzwi. Na zasuwę.

– Rozejrzymy się po gniazdku Duńczyków – mruknął. – Nie tyle gniazdku, co norze – sprostował w następnej chwili, bo podłe to było mieszkanie.

Ściany nabiegły pleśnią, meble niemal rozpadały się ze starości. Kuchenka i lodówka były chyba starsze od Zadry, wannę w łazience pokrywał narosły przez dziesięciolecia kamień, a kibel... aż się wzdrygnął. Nawet on, który bywał w gorszych miejscach niż Mangalia, nie usiadłby na tym ohydnym, pożółkłym tronie.

– Survival sobie zafundowaliście? – zapytał retorycznie właścicieli. – Jak na Duńczyków, którzy mają zajoba na punkcie czystości, to miejsce jest nieco syfiaste.

O dziwo – i to musiał przyznać – panował w nim porządek, jakby ktoś rozpaczliwie próbował zachować duńskie standardy. Podłogi i okna lśniły. Łóżko, bo następnym miejscem, które Zadra zwiedzał, była sypialnia, zaścielała świeża, jeszcze pachnąca proszkiem i słońcem pościel. Owszem, mieszkanie remontowane nie było chyba nigdy, ale pani domu próbowała zachować choć pozory cywilizacji. Niewiele to jednak zmieniało. Ścierką, wodą i płynem do mycia z ruiny pałacu nie wyczarujesz.

Usiadł na łóżku i rozejrzał się po sypialni.

Żadnych pamiątek, zdjęć, obrazków na ścianach. Nic, co powiedziałoby mu więcej o właścicielach.

Podniósł się i zajrzał do komody. Koszula nocna pani domu w jednej szufladzie, męskie bokserki i skarpety w drugiej. Zadra uniósł ze zdumienia brwi.

– Skromnie nawet jak na Rumunię. Zupełnie, jakby was w pośpiechu wywiało, a przecież mieszkacie tu od miesiąca.

Szafa była niemal pusta. Wisiały w niej smętnie garsonka i męska marynarka. Dwie sukienki, błękitna koszula i kilka T-shirtów mniejszych, pewnie dla niej, i większych, które nosił on. Szorty i dżinsy, po jednej parze. To wszystko.

Wrócił do salonu. Tu również żadnych ozdób i pamiątek. Gdyby nie grzyb na ścianach i meble pamiętające księcia Ferdynanda, powiedziałby, że to pokój jak w podrzędnym hotelu.

Zajrzał do lodówki. Pusta. Ale zamrażalnik pełen zapasów.

– To coś nowego. Przyrzekłbym, że się wyprowadzili. Może jednak wrócą?

Zawrócił do przedpokoju i wyszedł na klatkę schodową, zostawiając drzwi tak, jak je zastał. Zbiegł po schodach jeszcze niżej. Drzwi piwnicy zaskrzypiały, gdy je otwierał i wchodził do środka.

Danka wstrzymała oddech. Hubert zacisnął palce na jej dłoni.

Zadra obszedł wszystkie pomieszczenia, szukając śladów ludzkiej bytności. Widać, że ta sama ręka, która dbała o mieszkanie na piętrze, próbowała i tutaj zaprowadzić porządek. Betonowa podłoga była porządnie zamieciona. Kotłownia utrzymana w nienagannym stanie. Nie mógł na szczęście wiedzieć, że to Danka wczoraj w obłędnym pośpiechu, gdy Hubert przenosił do schowka zapasy jedzenia i ciuchy na zmianę, sprzątała piwnicę, by nie zostawiać śladów.

Nikt nie mógł się domyślić, że przez piec można wejść do ukrytego pomieszczenia. Jeden odcisk buta mógł ich zgubić. Była więc szybka, ale dokładna. Zadra, ten szczwany lis, musiał się obejść smakiem.

Wycofał się z piwnic i wrócił na piętro. Przed nim były dwa tygodnie słodkiego lenistwa. Tyle właśnie postanowił trzymać Helerta w areszcie.

Nie odważyli się ryzykować.

Dopóki intruz jest w domu, będą się ukrywać.

W każdej przecież chwili mógł się zaczaić pod drzwiami swojego mieszkania i na najlżejszy szmer zbiec na parter. Nawet jeśli Danki nie skojarzyłby z zabójcą Prezydenta, może zacząłby przyjacielską pogawędkę, wypytywanie „skąd pochodzą, co robią w Mangalii, kim jest ona, kim jej tajemniczy małżonek", może zaprosiłby ją na herbatę i ciasteczko, tak po sąsiedzku, a ona – półżywa ze strachu – nie mogłaby odmówić i...? Jak by się skończyły te próby zadzierzgnięcia sąsiedzkiej przyjaźni?

Z poprzednimi facetami, którzy wynajmowali zbiegom klitki podobne do tej – na kolanach.

Ale oni nie domyślali się, kogo goszczą pod swoim dachem. Mieli jedynie podejrzenia, że tych dwoje cudzoziemców przed kimś się ukrywa. Nikomu przez ostatni rok nie przyszło na myśl, że są warci pół miliona euro, bo na szybkim numerku by się nie skończyło.

Z Zadrą sprawy przedstawiały się dużo gorzej. On dokładnie wiedział, kogo szuka. Danka nie zdołałaby, nawet na kolanach, wyżebrać u tego zimnego skurwiela litości dla siebie. Dla Huberta? Zapomnij.

Tkwili więc w ciszy i ciemności niemal nieruchomo, starając się nawet nie oddychać. O jedzeniu nie było mowy, zresztą ani ona, ani on jednego kęsa by nie przełknęli. Musieli jednak pić i załatwiać potrzeby fizjologiczne. Za każdym razem uciszając siebie nawzajem syknięciami.

Ta katorga trwała już od trzech dni. Gorsze od niej było to, że nie wiedzieli, kiedy dobiegnie końca. Można znieść niemal wszystko, jeśli masz pewność, że za dzień–dwa–trzy, niech będzie i tydzień!, wyjdziesz z piwnicy na światło dnia, weźmiesz długą kąpiel, która zmyje z ciebie pot i brud. Zrobisz sobie i ukochanemu mężczyźnie po kubku pysznej aromatycznej kawy, a on przyrządzi dla ciebie jajecznicę na boczku, w czym nie miał sobie równych. Ale Danka z Hubertem nie wiedzieli, kiedy intruz wyjdzie na miasto i jak długo go nie będzie.

Musieli trwać, modląc się coraz bardziej rozpaczliwie o cud.

O kochaniu się w ciszy i w ciemności, jak pierwszej nocy w tym więzieniu, nawet nie pomyśleli. Seks? Z gończym psem, węszącym pod drzwiami? Nie ma mowy! Od chwili, gdy usłyszeli go tak blisko, przy piecu – wystarczyłby głośniejszy oddech, by wpadł na ich ślad, a potem jeden telefon i już nie musieliby się ukrywać nigdy więcej – starali się nawet nie oddychać.

„Jesteśmy jak szczury", myślał Hubert, nienawidząc samego siebie, że sprowadził na Dankę takie nieszczęście.

Gdy czuł, jak ona zamiera w bezruchu na najmniejszy szmer, gdy zaciskała rozpaczliwie palce na jego dłoni, przeklinał dzień, w którym stanął na drodze tej dobrej, szlachetnej kobiety. Lepiej byłoby, gdyby umarła tamtej nocy na swoich warunkach. Wódka, prochy i mróz zesłałyby na nią łagodniejszą śmierć niż to powolne konanie ze strachu i beznadziei u boku jego, Karlinga, niech go szlag.

„Skończyć to raz na zawsze", myślał już nie pierwszy raz. „Przytulić Danuśkę, ucałować po raz ostatni, a potem jeden szybki ruch – przecież umiem zabijać – i ona jest już wolna. Ja mam spluwę, będzie mi jeszcze łatwiej. Sekunda i dołączę do Danki".

Nie przyznał się jej do pistoletu podpieprzonego Zadrze. Ukrył glocka tak, by go nie znalazła, ale żeby jednak pistolet był w razie czego pod ręką. Ona by nie zrozumiała...

– Wychodzi – usłyszał szept cichy jak westchnienie.

Poderwał głowę, wbił wzrok w maleńkie okienko pod sufitem. Rzeczywiście na klatce schodowej rozległy się ciężkie kroki. Minęły drzwi do ich mieszkania, minęły wejście do piwnicy i oto słyszeli je na zewnątrz. Czekali ze wstrzymanymi oddechami, czy tamten będzie się kręcił w pobliżu, czy też wybył na dłużej. Kroki oddalały się...

– Idę. Nie będę czekała, aż zawróci – wyszeptała.

Patrzył w jej źrenice, rozwarte szeroko z tłumionego przerażenia, i podziwiał tę niezłomną kobietę całym sercem. Tak jak ją kochał.

– Uważaj na siebie. – Dotknął jej policzka w czułej pieszczocie. Wtuliła usta we wnętrze jego dłoni.

Potem patrzył, jak Danka wymyka się przez wąskie przejście i modlił się tak gorąco, jak chyba jeszcze nigdy: „Boże, daj jej siłę, błagam, daj siłę mojej Danusce, żeby przetrwała to wszystko...".

Gdy i jej kroki ucichły, sięgnął po glocka.

ROZDZIAŁ VII

Spieszyła do centrum miasta, rozglądając się uważnie przez słoneczne okulary zasłaniające jej pół twarzy. Nie wiedziała, kogo ma wpatrywać, nie znała przecież Jana Zadry, chociaż on znał Dankę. Przynajmniej ze zdjęcia, jakie Interpol porozsyłał po całym świecie. Tego samego, które Darek Grójec, podłe bydlę i jeszcze podlejszy zdrajca, pstryknął jej któregoś dnia tam, przy jej domu, w dalekich Bieszczadach.

Dziś nie była zbyt podobna do młodszej o dwa lata kobiety ze zdjęcia – ciągły strach wyostrzył rysy jej twarzy, dramatycznie schudła. Przyciemniła włosy i nie rozstawała się z okularami, zza których nie widać było jej charakterystycznych, dużych, zielonych oczu. Ale ktoś, kto wiedział, kogo szukać, ktoś tak zdeterminowany jak Zadra, mógł mimo wszystko ją rozpoznać.

Hubertowi, rosłemu, barczystemu mężczyźnie o wyraźnych, męskich rysach twarzy, byłoby się jeszcze trudniej ukryć, dlatego gdziekolwiek by się ukrywali, czy to w Aya Napie, czy w Kyrenii, czy tutaj, w słonecznej Mangalii, rzadko ruszał się z domu. To Danka robiła zakupy i utrzymywała jakiś tam kontakt ze światem. Jemu pozostał internet, praca zdalna, jeśli się na taką załapał, i dbanie o kondycję – codzienna porcja forsownych ćwiczeń była mu niezbędna do życia jak powietrze. Dzięki temu wyglądał tak dobrze, jak dwa lata wcześniej. Tylko twarz mu sposępniała i przygasły oczy, niegdyś błyszczące wolą życia. Z każdym dniem ucieczki tracił tę wolę. Wiarę w sens dalszego ukrywania się. Nadzieję, że ta historia skończy się szczęśliwie.

Damian Kędzierski – ich jedyny kontakt z krajem i ludźmi, którzy próbowali oczyścić dobre imię Huberta – przyjeżdżał coraz rzadziej i coraz mniej chętnie. Być może przestał wierzyć w niewinność przyjaciela i pomagał mu jedynie z obowiązku.

– Marciszewski robi, co może – powtarzał tę samą śpiewkę od dwóch lat.

Były minister obrony narodowej nie mógł zdziałać zbyt wiele, odcięty od możliwości, niegdyś nieograniczonych, i informacji, które teraz przed nim zatajano. Nie dysponował ani ludźmi, ani środkami, by przeprowadzić własne śledztwo na temat zamachu. Chciał wierzyć w wersję Karlinga, ale nie był w stanie udowodnić, że jego podwładny jest niewinny. Że Gniew Orła rozwiązano na podstawie fałszywych oskarżeń.

Starszy człowiek poddawał się powoli, w duchu życząc Hubertowi szybkiej śmierci zamiast dożywotniego więzienia, bo sąd nie miałby litości dla zabójcy Prezydenta RP. Ci, którym Karling wpadłby w ręce, mieliby tej litości jeszcze mniej. Najpierw poddaliby go wymyślnym torturom, uzasadnionym dobrem wyższym – chociaż nikomu nie musieliby się z nich spowiadać – a potem, jeżeli nadal by żył, dręczyliby go za kratami. Wystarczy przecież jedno słowo, rzucone w transporcie: „pedofil", by współwięźniowie zrobili mu piekło na ziemi. Jak długo wytrzymałby codzienny gwałt kijem od szczotki, by nie powiesić się którejś nocy w celi?

Tak. Dla wszystkich byłoby lepiej, gdyby Hubert zginął od kuli. Podczas aresztowania. Albo… z ręki przyjaciela. Wystarczyłby jeden rozkaz. Nawet nie rozkaz, a sugestia i Kędzior któregoś dnia, zamiast przywieźć uciekinierom pieniądze i przerzucić ich w inne miejsce, Dankę by ogłuszył, Karlingowi przystawił pistolet do skroni i pociągnął za spust.

Jednak Adam Marciszewski nie zdobył się do tej pory na tę sugestię. Nie był w stanie zamordować niewinnego człowieka. Jeszcze nie…

Tymczasem w mangalskich kazamatach tkwił ktoś, kto chętnie by to uczynił.

Wiktor Helert, bo o nim mowa, przeklinał Huberta Karlinga i dzień, w którym ten ze swoją piękną żoną stanął na jego drodze, najparszywszymi słowami.

„Żyłem sobie spokojnie, nie wadząc nikomu – myślał z wściekłością – a tu zjawiasz się ty, skurwielu, i wywracasz moje ciche, nudne życie do góry nogami. Teraz siedziałbym na balkonie, sącząc świeżą, czarną jak szatan kawę i pogwizdując na co ładniejsze dupencje, tymczasem tkwię na śmierdzącym barłogu, patrząc na czarne od krwi, zmiażdżone buciorami strażnika palce i muszę chronić własną dupę, żeby nie zrobili mi z niej worka na spermę. Szlag, Karling. Niech cię nagły szlag!".

O Zadrze, któremu bezpośrednio zawdzięczał to żałosne położenie, w ogóle nie mógł myśleć, bo krew się w nim gotowała, zaczynał kląć, krzyczeć i tłuc pięściami w mur albo w drzwi, czym wkurwiał strażników. Dostał już od nich takie manto, że ledwo widział na oczy. Jeden, bydlę szczególne, wbił mu na do widzenia obcas w dłoń, prawdopodobnie łamiąc palce, a drugi obiecał, że następnym razem wrócą ze szlauchem. Wiktor domyślił się, że nie po to, by zmyć krew z podłogi i... zbastował. Lewatywa z lodowatej wody – tylko tego było mu do szczęścia potrzeba...

– Niech cię szlag, Karling! – wysyczał, zaciskając z bólu szczęki.

Rumuńska policja naprawdę potrafiła dopieprzyć upierdliwym „gościom".

– Podejrzany Helert Wiktor, macie widzenie! – padło naraz łamaną angielszczyzną po drugiej stronie drzwi. – Przygotować ręce do skucia.

Spoko, słyszał to tyle razy, że zrozumiał.

Zdążył również pojąć, że nie należy się podczas skuwania stawiać, bo gliny robią się wtedy bardziej brutalne.

Jeszcze przez pierwsze dni było w miarę spokojnie. Wiktor, totalnie przybity, zapadł w odrętwienie, siedział cicho w kącie celi, jak mu kazano, i nie zamierzał się ciskać, co sugerował ten „dobry" gliniarz. Drugi, któremu przypadła rola „złego policjanta", dosyć obrazowo, choć zasób angielskich słów miał ograniczony, ale nadrabiał gestykulacją, wyjaśnił mu, co tutaj robią z krnąbrnymi aresztantami. Wiktor nie chciał mieć szlaucha w dupie ani połamanych rąk tudzież nóg.

Gdy jednak otrząsnął się z odrętwienia i przypomniał sobie, jak załatwił go Zadra, normalnie mu odbiło. I omal pieszczotami, które mu obiecano, nie został potraktowany. Tylko dlatego, że w celi obok szalał jeszcze gorszy szajbus, darowano Helertowi lewatywy i łamanie rąk. Ale dłoń mu, skurwiel, zmiażdżył. Aż zgrzytnął zębami na wspomnienie tamtego bólu. I przeklął Bogu ducha winnego Huberta Karlinga, bo o Zadrze nie mógł nawet myśleć.

Podniósł się z barłogu, odwrócił tyłem do drzwi i wyciągnął za plecami ręce. Kajdanki szczęknęły nieprzyjemnie. Strażnik docisnął je porządnie, tak by wbiły się w skórę i mięśnie, po czym szarpnął mężczyznę ku drzwiom i wypchnął na korytarz.

Wiktor nie miał wątpliwości, kogo za chwilę zobaczy. Tylko tamto przeklęte bydlę wiedziało, gdzie się podziewa. „Najpierw powiem ci, skurwysynu, co o tobie myślę, potem naplюję ci w twarz", obiecał Zadrze w duchu. „Albo odwrotnie, bo mogę nie zdążyć: najpierw naplюję ci w twarz, a potem...". Potem osłupiał, stojąc w progu małego pomieszczenia, które służyło za pokój widzeń. Bo w środku nie czekał na niego Zadra, a ktoś, kogo za Chiny Ludowe by się Helert nie spodziewał...

– Co ty tu robisz? – wykrztusił.

Jego gość uśmiechnął się łagodnie.

Namierzenie koreańskiego mistrza taekwondo nie wydawało się czymś skomplikowanym. Danka znalazła najbliższą kafejkę internetową, wrzuciła cztery hasła – dodając słowo „Mangalia" – w wyszukiwarkę i oto miała jak na dłoni adres szkoły, gdzie Wiktor prowadził zajęcia. Z jego podobizną tak na marginesie. Zapatrzyła się przez chwilę na zdjęcie. Wyglądał na nim poważnie, niemal surowo. A przecież w rzeczywistości był lekkoduchem ze sporym, autoironicznym poczuciem humoru. Był również znacznie przystojniejszy niż na fotce. To musiała przyznać. I zawstydziła się sama przed sobą, że myśli w tych kategoriach o innym mężczyźnie, będąc w związku z Hubertem...

Szkoła – szkołą, trzeba jednak odnaleźć samego mistrza. Najbliższy trening jest w sobotę. Nie mogą tyle czekać. Wiktor nie może. Ile siedzi już w tym areszcie? Trzy dni? O trzy dni za długo. Adresu domowego Kim Yoo Sina nie znalazła, ale wystarczył telefon do sekretarki szkoły, gdzie odbywały się treningi, trochę osobistego uroku i parę miłych słów, by kobieta podała Dance telefon do starego Koreańczyka.

Zanim jednak do niego zadzwoni... Utworzyła nowe konto pocztowe, wpisała w zakładce „Do:" znany jej na pamięć adres, a potem zaczęła szybko, jak w gorączce:

Przyjacielu drogi,
jest źle, bardzo źle. Jeden z NICH zamieszkał dwa piętra nad nami. Siedzimy w piwnicy. Musisz nas stąd wydostać. Pospiesz się, proszę. Pieniędzy wystarczy nam na trzy tygodnie. Nie możemy chodzić do pracy, żeby trochę dorobić. ON WIE, że jesteśmy gdzieś tutaj. Nie możemy na niego wpaść. Pomóż nam.
D.

Wysłała mail i, nie wyłączając komputera, wybrała numer koreańskiego mistrza.

– Haloo? Kto tam? – odezwał się przyjemny, męski głos.

– Nazywam się Danka, jestem przyjaciółką Wiktora Helerta – zaczęła szybko po angielsku. – Wiktor ma kłopoty, poważne kłopoty. Został aresztowany...

– Och, okropnie! Za co go aresztujący?

– Prawdopodobnie za pobicie. Nie było mnie przy tym... – „No nie, siedziałaś ukryta za piecem dwa piętra niżej i słuchałaś awantury z nadzieją, że Helert pozbywa się łowcy, który poluje właśnie na ciebie. Ech, Wiktor, Wiktor...". – Czy może mu pan jakoś pomóc? Jestem nietutejsza. Nie wiem, co robić.

– Pewnie. Przyjedzie do mnie, to coś myślimy.

Powoli wyrecytował adres, żeby zdążyła zapisać.

– To niedaleko. Będę za piętnaście minut – zapewniła i już miała się pożegnać, gdy wzrok jej padł na ekran komputera i Dance odebrało mowę.

Wybacz, Danka, nie możemy wam dłużej pomagać.
Musicie radzić sobie sami. Przykro mi.
Nie pisz więcej.
Do zobaczenia w lepszych czasach.
Powodzenia w waszym przedsięwzięciu.
Kędzior

Zamrugała, jeszcze nie wierząc w to, co widzi.

– Haloo? Halooo? – Do jej otumanionego umysłu dotarł głos Koreańczyka, ale rozłączyła się. Nie była w tej chwili zdolna nawet do krótkiego „See you later".

„Zostawili nas! Rany boskie, po prostu zostawili nas na pastwę służb! Czy Marciszewski o tym wie, czy też Damian sam z siebie postanowił się wycofać? A TAMCI? Jak blisko są namierzenia mnie i Huberta? Może już wiedzą, że jesteśmy w Mangalii? Może za chwilę wyjdę na ulicę, a oni będą już na mnie czekali?".

Ręce zaczęły jej drżeć. Właściwie cała się trzęsła jak naciągnięta i puszczona gwałtownie struna.

„Uspokój się! Natychmiast się uspokój! Przecież wiedziałaś, że tak to się skończy! Jak długo mogliśmy uciekać, mając za plecami całą psiarnię świata? Hubert liczył się z tym. Ty, naiwna idiotko, wierzyłaś, że prawda kiedyś zatriumfuje, jego oczyszczą z zarzutów, ciebie obwołają bohaterką, bo przecież uratowałaś życie niewinnie posądzonemu i oto będziecie żyć w jakimś pięknym miejscu za odszkodowanie od polskiego rządu do końca swych dni. Naiwna, durna kretynka!".

Nie mogła wiedzieć – nie miała dostępu do informacji z kraju – że w drugą rocznicę zamachu służby dostały po prostu pierdolca. Prezydent nie żył, jego morderca nadal chodził wolny i swobodny. Kobieta, która pomogła mu w ucieczce, również. To nie mogło ujść na sucho ani odpowiedzialnym za zamach, ani tym, którzy ich ścigali. Skoro nie można było dorwać bezpośredniego sprawcy i jego pomagierki, wzięto się za wszystkich, którzy przyłożyli rękę do ich zniknięcia.

O szóstej rano jednostka antyterrorystyczna wkroczyła, jak to oni „z przytupem", do mieszkania ministra Marciszewskiego. To on przecież powołał Gniew Orła, z którego wywodził się Hubert Karling. To jego ludzie pomogli Karlingowi w ucieczce. Nie było na to twardych dowodów, same domysły, ale proces poszlakowy to już coś. W tym samym czasie zapolowano też na żołnierzy Gniewnych. Pięciu najbliższych przyjaciół Huberta aresztowano w tym samym momencie, co Marciszewskiego.

Damian Kędzierski ostał się na wolności tylko dlatego, że był na rybach, gdzieś w mazurskich lasach i któryś z kumpli zdążył go ostrzec sms-em. Natychmiast wskoczył do terenówki i prysnął na wschód, nie oglądając się za siebie. Tak oto jeszcze wczoraj pomagał w ucieczce Karlingowi, dziś sam był ścigany.

Rozpaczliwy mail od Danki zastał go w górach Uralu. Zasięg akurat był genialny, co rzadko się w tych okolicach zdarzało. Musiał odpisać kobiecie na tyle oględnie, by algorytmy nie wyłapały wrażliwych słów i nie naprowadziły łowców do Mangalii, lecz na tyle drastycznie, by raz na zawsze wyzbyła się nadziei na pomoc.

119

Gniew Orła rozbito po raz drugi. Bardzo skutecznie. Nieliczni, którzy zostali ostrzeżeni, musieli się ukrywać. Adamowi Marciszewskiemu groził Trybunał Stanu.

Było pozamiatane.

Danka mogła rozpaczać i wyłamywać z bezradności ręce dokładnie tak samo, jak rodziny aresztowanych. Trzeba jednak obiektywnie przyznać, że szansę na dobry koniec tej bajki miała znacznie mniejszą...

Siedziała jeszcze przez chwilę, wpatrując się w mail od Kędziora, po czym otarła wierzchem dłoni łzy, rozglądając się ukradkiem w poszukiwaniu zagrożenia. Była jednak dobrze ukryta w najdalszym rogu pustawej kawiarenki. Nikt nie zwracał uwagi na płaczącą kobietę.

Usunęła adres mailowy z całą zawartością skrzynki, wyłączyła komputer i na uginających się nogach ruszyła do wyjścia. Stanęła przed budynkiem i zdziwiona, że oto jej świat właśnie się skończył, podczas gdy tutaj trwa jak gdyby nigdy nic piękne, słoneczne przedpołudnie, ruszyła przed siebie z umysłem zupełnie pustym, nie zdając sobie sprawy, dokąd i po co właściwie idzie. Jak poruszany siłami internetowej magii zombie szła ulicą prowadzącą do centrum Mangalii, mijając spieszących w swoich sprawach ludzi. Mimo że mózg odmówił posłuszeństwa i po prostu przestał myśleć, wszystkie zmysły napięte były do granic możliwości. Oczy rejestrowały każdy podejrzany ruch, przyglądały się rosłym, dobrze zbudowanym mężczyznom, szukając tych, którzy za chwilę ją, Dankę, cisną o bruk, skują i wywiozą... Bóg wie gdzie.

Ale nikt się drobną, szczupłą kobietą, zdążającą ulicą Constantei jak dziesiątki innych ciemnowłosych piękności, do pracy, do szkoły czy na zakupy, nie zainteresował. Nagle tuż obok ktoś zatrąbił głośno. Danka aż krzyknęła. Miejscowy przystojniak krzyknął coś do niej i puścił oczko. Pewnie próbował podrywu. Uśmiechnęła się do niego nikle i przyspieszyła kroku. Jeszcze coś tam zagadał w niezrozumiałym dla kobiety języku, ale gdy stanowczo pokręciła głową, dał sobie spokój.

Dobrze na Dankę ta sytuacja podziałała. Otrzeźwiła ją z szoku. Mózg ocknął się z chwilowego stuporu i oto parę minut później Danka stała przed obdrapanym, postkomunistycznym blokiem, w którym gdzieś tam, na najwyższym piętrze, mieszkał stary mistrz.

„Może przynajmniej pomogę Wiktorowi", przemknęło jej przez myśl, gdy wsiadała do windy. „Ja i Hubert jesteśmy już właściwie martwi. Aresztowanie jest kwestią czasu, a Karling nie da się wziąć żywcem. Niech chociaż Wiktor wyjdzie z więzienia jak najszybciej".

Nie miała pojęcia, o co Helertowi z Zadrą poszło. Nie wiedziała, że o pistolet, który ten pierwszy wspaniałomyślnie podarował jej mężowi. Mimo wszystko czuła się w obowiązku pomóc temu, który pomógł im. I którego – tak, Hubert miał rację, chociaż nie przyznałaby się do tego – prawdziwie polubiła. Za co? Ot tak, bez powodu. Chociaż co najmniej jeden by się znalazł.

Gdy Koreańczyk otworzył przed Danką drzwi swojej klitki i zaprosił ją z serdecznym uśmiechem do środka, zaczęła bez wstępów:

– Musimy wyciągnąć Wiktora z aresztu. Jak najszybciej.

I w tym momencie przestała się bać o siebie i swojego ukochanego. Oni oboje są już martwi, czyż nie? Kto i co może im więc zagrozić?

ROZDZIAŁ VIII

— Oszalałaś, dziewczyno?! — syknął do uśmiechającej się łagodnie Danki Rawit i rozejrzał się szybko dookoła, czy któryś z gliniarzy nie przygląda się jej zbyt uważnie.

Jeśli nawet, to patrzyli na piękną kobietę z pożądaniem. Do głowy by żadnemu nie przyszło, że to poszukiwana międzynarodowym listem gończym przestępczyni. Partnerka mordercy. I to nie byle jakiego mordercy.

— Zdajesz sobie sprawę, gdzie właściwie jesteś? To posterunek policji! A, przypominam, i ty, i Hubert, jesteście ścigani właśnie przez policję. I wszystkie służby w kraju i za granicą! Życie ci zbrzydło? — Był szczerze zbulwersowany. Aż ją tym wzruszył.

Machnęła nonszalancko ręką, wprawiając tym Helerta w osłupienie, po czym rzekła:

– Mniejsza o nas. Co z tobą? Dajesz radę? Dobrze cię tu traktują? Wyglądasz... – pochyliła się ku niemu, przyglądając się jego pokiereszowanej twarzy – ...jakbyś codziennie dostawał manto. Te siniaki są całkiem świeże.

No tak, była lekarzem. Potrafiła odróżnić ślady pobicia sprzed czterech dni – tyle minęło od awantury z Zadrą – od tych, które Wiktor zarobił dziś rano, „bo zupa była za słona". Tutejszym gliniarzom naprawdę niewiele zachęty było potrzeba, by traktowali aresztantów z pięści.

– Dopóki nie próbują mnie zerżnąć, jest okej. Gdy spróbują, cóż, siniaki na pysku będą moim najmniejszym zmartwieniem. Ich też – dorzucił mściwie.

Szturchańcami częstować się pozwalał, takie pieskie prawo, ale na nic więcej rumuńskiej policji, ż a d n e j policji, nie pozwoli. Nikomu innemu również nie.

– Mniejsza o mnie – powtórzył za Danką. – Dlaczego wystawiasz się na niebezpieczeństwo? – zapytał już bez syków i złośliwości.

Naprawdę się o nią martwił. Schudła chyba jeszcze bardziej od czasu, gdy widział ją po raz ostatni, oczy miała podkrążone, a twarz chorobliwie bladą. Nie to jednak zaniepokoiło go najbardziej – no, oprócz faktu, że przyszła ot tak na posterunek policji – w źrenicach kobiety płonęły dwa sprzeczne uczucia: determinacja i zrezygnowanie.

– Hubert zniknął – odezwała się lekko drżącym głosem. – Wczoraj rano facet, co cię wrobił w to wszystko, wyszedł z domu, pobiegłam więc do twojego przyjaciela, tego Koreańczyka, by powiadomić go, że jesteś w tarapatach, i prosić, żeby spróbował ci pomóc...

– Naprawdę to zrobiłaś? – zdumiał się, a wzruszenie ścisnęło go za gardło. – W takich okolicznościach, gdy jesteś poszukiwana za pomoc mordercy, przejmować się nieznanym ci właściwie gościem?

– Nie myśl, że bezinteresownie – zastrzegła od razu. – Nie damy rady ukrywać się w tej piwnicy bez pomocy z zewnątrz. Przynajmniej wczoraj nam się tak wydawało. Gdy więc twój znajomy opuścił dom, wymknęłam się na poszukiwania tego twojego mistrza, po drodze zahaczając o kafejkę internetową. Wysłałam do swoich przyjaciół prośbę o pilną pomoc, muszą nas przecież stąd zabrać, jeśli im nasze życie miłe i... widzisz, Wiktor... odmówili. – Tu głos się jej załamał. A już miała nadzieję, że przez noc wypłakała limit łez na ten tydzień. – Nie mogą nam dłużej pomagać. „Powodzenia w waszym przedsięwzięciu". Tak napisał człowiek, który ma w rękach nasze życie. Bez jego pomocy sobie nie poradzimy! – Pokręciła głową, wyginając z frustracji palce. – On załatwiał transport do nowego miejsca, szukał bezpiecznych kryjówek, podrzucał pieniądze na skromne życie. My naprawdę nie mieliśmy takich możliwości. Naszym zadaniem było dożyć dnia, gdy oczyszczą Huberta z zarzutów. Naprawdę tylko to trzymało mnie przy zdrowych zmysłach. I oto przyjaciele z Gniewu Orła, za których Hubert poszedłby w ogień, odwracają się od niego. Nie mogą jemu, a więc nam, już więcej pomagać. To... złamało mnie po raz pierwszy. Gdy zaś wróciłam od Kim Yoo Sina...

Karling zważył w dłoni ciężki pistolet. Przed chwilą podjął męską decyzję: skończy tę wegetację, bo przecież nie było to życie, tu i teraz. Uwolni Dankę od siebie raz na zawsze. Ona nie może być tak dręczona. Nigdy więcej.

Pożegnał się więc z nią w duchu, nakreślił parę serdecznych słów, zakończył: „Kocham Cię ponad życie. Wybacz mi" i przyłożył sobie lufę glocka do skroni. Ręka mu nawet nie drgnęła – prawdę mówiąc, czuł ulgę – gdy kładł palec na spuście. Nagle jednak przyszło otrzeźwienie.

„Nie zrobisz jej tego! Nie zafundujesz kobiecie, którą kochasz i która tyle przez ciebie wycierpiała, widoku twoich zakrwawionych zwłok! Nie ściągniesz do miejsca, w którym się ukrywała, gończych psów. Ogarnij się, Karling!".

Odłożył broń na stolik, zmiął list, który przed chwilą napisał i włożył do kieszeni. Oddarł z gazety kolejny pasek i nakreślił zupełnie inne słowa:

Nie możesz tak dłużej żyć, moja kochana. Uwalniam Cię od swojej przeklętej osoby. Odchodzę. Poznałem kogoś, kto pomoże mi uciec do innego kraju. To kobieta. Nie szukaj mnie. Więcej się nie spotkamy.

Pamiętaj, że kochałem Cię prawdziwie i pozostanę Ci wdzięczny za wszystko do końca moich dni.

Hubert

Tak, to było wystarczająco brutalne, by Danka dała sobie z nim spokój, i na tyle serdeczne, żeby nie próbowała się od razu zabijać. Ma Wiktora. Już Helert się nią zaopiekuje, tego Karling był dziwnie pewien.

Straciłby tę pewność, gdyby wiedział, że tamten odnalazł we wspomnieniach swoją Nisię – Wiktor nadal nie znał jej pełnego imienia – i zdesperowane mężatki nie były mu teraz w głowie. Helert w każdej dziewczynie, która stanie na jego drodze, będzie szukał rudowłosej, zielonookiej Nisi ze snów. Danka... ona może się stać co najwyżej jego serdeczną przyjaciółką. I pocieszycielką, jeśli nie będzie miał nikogo pod ręką czy raczej pod czym innym...

Hubert, nie zastanawiając się już więcej, jak jego Danuśka sobie poradzi – nawet pięć lat więzienia było lepsze od podłego życia łownej zwierzyny – położył zapisany skrawek gazety pośrodku stolika, wetknął glocka za pas, chwilę nasłuchiwał, czy Zadry aby na pewno nie ma w domu, bo nie chciałby się natknąć na tego gada, po czym wymknął się z piwnicy i ruszył szybkim krokiem w przeciwnym kierunku niż Danka parę kwadransów wcześniej.

Nikt go nie zatrzymywał. Nikt nie zwracał najmniejszej uwagi na rosłego, przystojnego faceta, zdążającego ulicami Mangalii z bronią ukrytą pod marynarką. Gdyby chciał uciekać do Bułgarii, mogło mu się to udać. Ale Hubert nie chciał się więcej ukrywać. Chciał zniknąć raz na zawsze. Zamiast transportu na północ potrzebna mu była łódź, kradziona rzecz jasna, którą wypłynie hen za horyzont, żeby zakończyć to, co zaczął w piwnicy.

Właśnie taką przyuważył.

– Ja nie dam rady, Wiktor – wyszeptała Danka, ocierając ukradkiem łzy. – Nie mogę bez niego żyć.

– Możesz – uciął ostro. – Powiem więcej: dzięki jego zniknięciu masz szansę na powrót do normalnego życia. Oddałaś mu rok, parszywie długi rok, podczas którego porządną kobietę, lekarkę, taką przecież byłaś, no nie?, ścigano niczym wściekłego psa czy raczej sukę. Znosiłaś strach i upodlenie. Wolę ci nie przypominać, co gotowa byłaś zrobić nie tyle dla siebie, co dla twojego Huberta. Może jednak powinienem?

Pokręciła głową. Nie musiał.

– Przeżyłaś już chyba wszystko, co człowiek jest w stanie znieść. Powinnaś wrócić do Polski albo pójść do najbliższego konsulatu i po prostu się przyznać. Więzienie nie będzie chyba gorsze niż ta ciągła ucieczka i spłata zobowiązań na kolanach?

– Nie będzie – szepnęła, spuszczając głowę. Było jej tak strasznie wstyd…

– No. Weź się teraz w garść. Idź do tego konsulatu i…

– Najpierw muszę pomóc tobie.

– Danka…

– Nie ma dyskusji! – tym razem ona mówiła tonem tak twardym, jak Wiktor przed chwilą. – Twój mistrz nie może sam ci pomóc, połamało go lumbago, tyle przynajmniej wywnioskowałam z jego angielszczyzny, ale przez wczorajszy wieczór szukał kontaktu z kim trzeba i ten ktoś, pan Yoo Sin wolał nie podawać nazwiska, pogadał z tutejszymi gliniarzami. Ustalili między sobą, że nie wniosą przeciwko tobie oskarżenia, o ile wpłacisz… hmm… prywatną, bezzwrotną kaucję.

– Co?!

Przewróciła oczami.

– Łapówkę, Wikuś, łapówkę.

– Ach, to… mogłem się domyślić. Ile i komu?

– Więcej, niż twój mistrz zdołałby nazbierać, niż mam ja z ostatnich pieniędzy przywiezionych nam przez Damiana i pewnie więcej, niż masz ty. Pięćdziesiąt tysięcy lejów.

Wiktor westchnął tylko. Tak oto jego dwuletnia renta poszła się...

– Mam takie pieniądze – mruknął. – Są ukryte tak, by Zadra ich nie znalazł. Przeniósł się do hotelu?

– Rozgościł się u ciebie na dobre.

Znów westchnienie.

– Nie wiem więc, jak je wydobędziesz z mojej sypialni – dodał. – Są w sprytnej skrytce pod parapetem.

– Poczekam, aż gad znów wyjdzie do miasta. – Wzruszyła ramionami.

– Wiesz, że ryzykujesz? – Owszem, chciał wyjść z parszywego aresztu, ale nie kosztem życia tej kobiety. Jeśli Danka natknie się na Zadrę, może być z nią naprawdę źle.

– Przywykłam – ucięła krótko i stanowczo.

Przyjrzał się kobiecie uważnie, jakby ją widział nie trzeci, a pierwszy raz w życiu. Wtedy, na kolanach, wydała mu się zwykłą dziwką, która sprzedaje się za niezwykłą cenę. W rumuńskim areszcie, gdy sam się załamał i płakał jak małe dziecko, miał czas, by zrewidować swoje poglądy. Danka była słaba, owszem, ale jej jedyną słabością była miłość do Karlinga. Za to należało ją szanować.

Dzisiaj, gdy była gotowa wejść wprost do paszczy lwa, do mieszkania zajmowanego przez bezwzględnego bandytę – i tu Wiktor miał na myśli Zadrę, nie siebie – naprawdę zaczął podziwiać jej odwagę. Mogła sobie mówić, że bez Huberta nie ma po co żyć, mogła płakać, załamywać ręce i powtarzać, że nie da rady. Lecz gdy przychodził czas na działanie, wstawała z kolan i po prostu robiła to, co trzeba. Danka Rawit była niezłomna.

Zanim jednak wyszła, by wykradać pieniądze Wiktora na kaucję za Wiktora, obróciła się przez ramię i rzuciła równie stanowczo, co przed chwilą:

– Odnajdę go.

Nie musiała precyzować, kogo ma na myśli.

Gdy Helert znalazł się z powrotem w swojej celi – o dziwo traktowany bez porównania łagodniej niż jeszcze godzinę temu – westchnął tylko i zaczął się zastanawiać, jak wyciągnąć z matni nie tylko Dankę, ale i jej ukochanego. Takim ludziom jak tych dwoje warto było pomagać. Nawet jeśli nie miałeś z tego żadnych profitów, dla czystej satysfakcji, że wyrywasz ich z łap służb czy takiego Jana Zadry – warto było.

Może wysłać ich na rumuńskim paszporcie tak daleko, na takie zadupie, że nikt ich tam nigdy nie znajdzie? Gdyby miał szybki, dobry komputer i użył swoich czarodziejsko-hakerskich mocy, udałoby mu się wyrobić im nowe paszporty, zatrzeć wirtualne ślady, jakie zostawiali podczas swojej tułaczki i...?

Uśmiechnął się do siebie.

I nagle uśmiech zgasł. Helert otworzył szeroko oczy ze zdumienia. Właśnie odkrył swoją poprzednią profesję: był hakerem! Prawdopodobnie na usługach mafii. Jeśli bandyteria w Polsce straciła przez niego forsę, przestał się w tym momencie dziwić, że on musi się ukrywać, a jego była ojczyzna płacić mu rentę.

Wyciągnął się na brudnym, śmierdzącym barłogu, splótł ręce pod głową – zupełnie jakby to był leżaczek na karaibskiej plaży – i zapatrzył się w bury, obdrapany sufit. Jeśli potrafił z komputerem działać cuda, może nie tylko zmienić czyjąś tożsamość, ale i odnaleźć własną. Każdy zostawia w sieci ślady. Nawet ktoś tak uważny, jak mafijny haker. Może gdzieś kiedyś Wiktor popełnił błąd i odnajdzie dzięki temu rudowłosą dziewczynę, zwaną pieszczotliwie Nisią?

Nie mógł wiedzieć, że w poprzednim życiu zrobił wszystko, by te ślady pozacierać...

ROZDZIAŁ IX

Karling poczekał do zmroku, ukryty w opuszczonym bunkrze niedaleko plaży. Przez cały ten czas nie spuszczał oczu z zacumowanej do prowizorycznego nabrzeża łodzi. Gdy zapadła noc, przebiegł przez otwartą przestrzeń, wskoczył na pokład niewielkiej motorówki i zaczął gorączkowo szukać kluczyków z nadzieją, że właściciel ukrył je na łódce.

Nagle od strony plaży rozległy się czyjeś przyciszone głosy, krótki chichot, uciszony syknięciem. Hubert przemknął do kajuty, mając nadzieję, że to zakochana para na spacerze.

Głosy były coraz bliżej. Łódź nagle zakołysała się. Dwoje ludzi – ona i on – szeptało łamaną angielszczyzną, z której Karling wywnioskował, że właściciel łodzi przygruchał sobie na noc turystkę. Mężatkę. Gdyby jej mąż

KATARZYNA MICHALAK

dowiedział się o schadzce, odstrzeliłby kochasiowi jaja, a jej zrobił harakiri. Kochaś nie zrozumiał, co znaczy to ostatnie słowo, a może nie chciał tracić czasu na dyskusje? Grunt, że łódź zakołysała się mocniej, a szepty i chichoty zmieniły się w odgłosy pocałunków. A potem westchnień i pojękiwań.

Seks na pokładzie małej motorówki nie był zbyt wygodny.

– Wejdźmy do środka – wyszeptała kobieta.

Drzwiczki do kajuty skrzypnęły, do środka wtoczyły się splecione ciała. Nie tracili czasu na czułości. Jego kręciły farbowane włosy potężnej blondyny i monstrualnych rozmiarów sztuczny biust, ona śliniła się na widok śniadych, muskularnych ramion nieokrzesanego południowca i grubego pala, sterczącego na baczność wśród czarnych kędziorów. Pchnął ją na materac, bezceremonialnie podwinął sukienkę, chwycił obiema dłońmi za białe, pulchne pośladki i wbił się między nie z przeciągłym jękiem. Odchylił się lekko do tyłu, by brać ją głębiej i... znieruchomiał z szeroko otwartymi oczami, między które jakiś zarośnięty typ mierzył z potężnej spluwy.

– No dalej, ogierze – wysapała kobieta, podrzucając tyłkiem.

Lekkie, nakazujące machnięcie glockiem i facet zaczął się poruszać. Widać za mało przekonująco, bo tamta warknęła:

– Mocniej, mocniej! Potrafisz chyba, kurwa, rżnąć pełnokrwistą klacz?!

Te słowa, a może właśnie poczucie zagrożenia, podziałały na Rumuna jak smagnięcie szpicrutą. Nie spuszczając wzroku z wymierzonej w siebie lufy, cofnął się, a potem wbił z taką siłą, że blondyna jęknęła przeciągle, wreszcie zadowolona. Jęk przeszedł w zachęcające:

– Taaak, taaak, aaach, rżnij mnie, dalej, skurwysynu, mooocniej!

Facet dawał z siebie wszystko. Suwał coraz szybciej w rytm jęków, krzyków i zachęt, blondyna zarzuciła nogi na jego śniade ramiona i poddawała się uderzeniom, wbijając krwistoczerwone paznokcie w pośladki jeźdźca. Wreszcie zaczął uderzać z takim zacięciem, hipnotyzowany złowrogim glockiem, jakby to był ostatni seks w jego życiu. Tego się właśnie obawiał. Blondyna zaczęła szczytować. On zaraz po niej.

Znieruchomieli oboje.

Jeden gest zarośniętego typa i facet wyjął z kieszeni kluczyki, odkładając je na materac.

Drugi i pociągnął do pionu blondynę, pospiesznie ukrył oklapłe prącie w spodniach i, sam idąc tyłem, wyprowadził ją z kajuty. Kobieta chciała protestować, „wieczór jeszcze młody, mamy czas na powtórkę, a może i dwie", ale tamten nie miał ochoty spojrzeć w czarny otwór lufy raz jeszcze.

Łódź zakołysała się ponownie.

Karling podszedł do okienka w drzwiach kajuty i odprowadził tamtych dwoje spojrzeniem. Poczekał, nadal napięty do granic, aż znikną w ciemnościach, po czym zwinął kluczyki, przeszedł do sterówki i sekundy później wypływał na wody Morza Czarnego, lśniące srebrem księżycowego blasku.

Odetchnął głęboko dopiero wtedy, gdy światła Mangalii zaczęły niknąć na horyzoncie.

Teraz mógł dokończyć to, co zaczął w piwnicy.

W klitce za piecem Danka chodziła od ściany do ściany, nie mogąc sobie znaleźć miejsca. Gdy trwali tutaj oboje, zamknięcie było łatwiejsze do zniesienia. Mogli się kochać, mogli rozmawiać, chociaż tylko szeptem, mogli po prostu podtrzymywać się na duchu. Wystarczyło, że ją przytulił, że zacisnął silne palce na jej dłoni i od razu było lepiej. Mogła znieść wszystko...

To, że Hubert ją opuścił, na dodatek w chwili, gdy był potrzebny najbardziej, trudno było zrozumieć, a jeszcze trudniej znieść. Dwa piętra wyżej Zadra urządzał kolejną popijawę. Sprowadził, sądząc po odgłosach, kilka dziwek i zabawiali się w najlepsze, podczas gdy ona umierała z tęsknoty za Hubertem, ze strachu, co będzie jutro, z samotności tak przemożnej, że aż bolała, wreszcie z żalu, że tak po prostu ją zostawił.

Był jeszcze Wiktor i sprawa pieniędzy na kaucję. Jeśli Danka nie wykradnie ich ze skrytki pod parapetem, facet będzie gnił w areszcie... Jutro trzeba tego dokonać. Poczekać, aż Zadra wybędzie z mieszkania, wślizgnąć się do środka – Wiktor zdradził Dance, gdzie trzyma zapasowy klucz – zwinąć forsę i wręczyć ją skorumpowanemu gliniarzowi. Przy czym istniało zagrożenie, że ten ją rozpozna, aresztuje, a pieniądze zatrzyma. I tak oto wylądują z Wiktorem w tej samej tiurmie, tylko w innych celach. Morsem będą sobie czułe słówka wystukiwać.

Prychnęła, zła na cały świat.

Odgłosy libacji cichły. Na schodach zastukały obcasy kobiet opuszczających przyjęcie. Wreszcie zapadła głęboka, czarna cisza.

Danka nasłuchiwała jeszcze przez godzinę czy półtorej, by w końcu zdecydować się na wyjście z kryjówki. Dwa dni temu brała szybki prysznic w swojej łazience. Tak, odważyła się na to, odczekawszy, aż mieszkanie piętro wyżej będzie puste. Umyła się w niecałą minutę, serio, tak też się da!, i znów była jak nowo narodzona. Pełna chęci do życia i wiary, że im się uda.

Kochali się wtedy z Hubertem po raz drugi od chwili zamknięcia w piwnicy, tak samo w ciszy i ciemności i z równą namiętnością, co poprzednio. Szeptał, że ją kocha, a ona wierzyła... Dziś wieczorem po Karlingu nie było śladu. Po jego miłości również.

– Odnajdę cię, draniu, czy tego chcesz, czy nie – wyszeptała. – Nie wierzę w twoją tajemniczą kochankę. Próbujesz mnie do siebie zrazić, robisz wszystko, bym od ciebie odeszła, żebym cię zostawiła. Nic z tego, mój kochany. Odnajdę cię i razem podejmiemy decyzję, co dalej: uciekać czy ginąć.

Wyszła przez drzwiczki od pieca, przemknęła ciemnymi korytarzami i już była w swoim mieszkaniu, wciąż czujna, nadal nasłuchując, czy aby na pewno bydlę z góry odpadło po ostrym piciu. Zrzuciła przepocone ciuchy, odkręciła wodę i z westchnieniem rozkoszy weszła pod ciepłe strugi. Namydliła błyskawicznie ciało i włosy i stała przez chwilę, czując miłe dreszcze od spływającej po skórze wonnej piany.

Wszedł do mieszkania przez okno balkonowe. Cicho jak kot. To aż niemożliwe, że potrafił się poruszać tak bezszelestnie. Wciągnął w nozdrza zapach płynu do kąpieli. Drzwi łazienki były przymknięte. Zajrzał do środka i od razu poczuł wściekłe pożądanie na widok kąpiącej się za mleczną szybą kobiety.

Dziś Zadra był lekko zużyty, ale odwiedzi sąsiadkę innym razem. Z tego, co widział, jest grzechu warta. Helert mówił, że to Dunka czy Szwedka? Ciekawie byłoby się przekonać, czy sąsiadka należy do tych zimnych, czy gorących. Jeśli okaże się chętna, zacieśnią stosunki. Jeśli nie, trudno, znajdzie sobie inny obiekt zainteresowania.

Już miał się wycofać, gdy zauważył ciśnięty na podłogę kłąb ciuchów. Uniósł wzrok – kobieta nie zdawała sobie sprawy z jego obecności. Sięgnął więc po majtki leżące w tym kłębie i... nagle wybałuszył oczy ze zdumienia. Jeszcze nie wierząc w to, co widzi, przyjrzał się uważniej. Damskie figi były ozdobione rysunkiem znajomych kwiatków. Żeby nikt nie miał wątpliwości, podpisanym KONWALIE. Tak właśnie.

„Szwedka? Dunka? Z polskimi majtkami na dupie?!".

Zadra wyprostował się i jednym ruchem zdarł prysznicową zasłonę.

Kobieta krzyknęła przerażona:

– O Boże!

On stał przez chwilę, mierząc jej nagie, mokre ciało zimnym spojrzeniem, a potem zaśmiał się krótko i zaczął:

– Tak właśnie, „O Boże". Mam przyjemność, czy też zaraz będę ją miał, z Danką Rawit?

Nie odpowiedziała. Próbując ukryć nagość pod skrzyżowanymi ramionami, wpatrywała się w jego posiniaczoną twarz z takim przerażeniem, że wystarczyło za potwierdzenie.

Chwycił ją za kark. Nie broniła się. Cisnął ją przed sobą na kolana.

– Teraz zrobisz mi tak dobrze, jak jeszcze żadna przed tobą. A potem pogadamy, gdzie jest twój, wart dwa miliony, kochaś...

ROZDZIAŁ X

Znęcał się nad nią brutalnie i bezkarnie – tylko dlatego, że mógł – aż do świtu. Jeszcze nigdy nie miał w rękach kogoś tak bezbronnego, zdanego na jego łaskę i niełaskę, jak ta kobieta. Za ofiarami Zadry zawsze ktoś stał, ktoś mógł się o nie upomnieć. Nie mógł sobie folgować tak, jak mu się chciało, żeby nie ponieść konsekwencji, również karnych. Danka Rawit była dla psychopaty darem niebios.

Nie mogła się bronić – związał ją zaraz po tym, jak wyciągnął z łazienki. Nie mogła krzyczeć – wepchnął jej do ust szmatę i dodatkowo zakleił szarą taśmą, znalezioną u Helerta. Nie mogła uciec – on miał w rękach klucze do mieszkania. Po wszystkim nie mogła pójść na skargę – sama zostałaby aresztowana, a jej kochaś chwilę później.

Gwałt, tak żeby ledwo się po nim trzymała na nogach, był pierwszym, co jej zafundował. I robił to dotąd, aż mógł. Gdy fiut mu w końcu sflaczał, zaczął ją dręczyć na wszelkie sposoby, jakie podsunęła mu zboczona wyobraźnia. Jedyne, co go ograniczało, to fakt, że ofiara musi przeżyć. Chciał przecież załapać się na nagrodę. Danka była jego kluczem do dwóch milionów.

Co jakiś czas zrywał jej plaster z ust, wyjmował szmatę i, jeśli była przytomna, zadawał to samo pytanie:

– Gdzie jest Karling?

Jeśli nie dawała znaku życia, cucił ją szklanką wody prosto w twarz albo wódką na ranę po przypalaniu i dopiero pytał:

– Gdzie jest Karling?

Kręciła głową. Oczy wychodziły jej na wierzch z przerażenia, gdy zbliżał się do niej z nożem albo grzałką elektryczną, lecz powtarzała raz krzykiem, raz szeptem:

– Nie wiem. Nie wiem!

Oczywiście jej nie wierzył. Czy może nie chciał wierzyć? Nagroda nagrodą, a zabawa może trwać.

Gdy przez szczelnie zasunięte kotary zaczęły przedzierać się do wnętrza pierwsze promienie słońca, oprawca poczuł zmęczenie. Pełne satysfakcji zmęczenie: oto on, Jan Zadra, dopadł poszukiwaną od dwóch lat pomagierkę zabójcy. Za szybko jej z rąk nie wypuści! Jeśli chciał mieć rozrywkę na kilka najbliższych dni, musiał gdzieś ukryć brankę.

Dom stał na uboczu, mając za najbliższe sąsiedztwo jedynie chaszcze. Tylko ludzie na plaży mogliby coś zobaczyć albo podsłuchać, ale od czego są zasłony i knebel? Jedynym problemem wydawał się Helert, który mógł wyjść z pierdla wcześniej, niż Zadra sobie życzył i nakryć go, jak zabawia się z tą kobietą. Sąsiadką.

Ciekawe, czy Wikuś wiedział, że to poszukiwana Danka Rawit, czy rzeczywiście złapał się na bajeczkę o duńskim małżeństwie. Z drugiej strony – czy to istotne? Ważne, żeby przed powrotem Helerta jeszcze trochę się panią doktor pobawić i tak zatrzeć ślady, by nikt się tej zabawy nie domyślił.

Mieszkanie na ostatnim piętrze, które Zadra zwiedził dzień wcześniej, stało puste. Było w podobnym stanie, co to na parterze. Brud, smród i ubóstwo – tymi trzema słowami można je było określić. Na kryjówkę nadaje się w sam raz. Będzie miał i Dankę, i Helerta pod kontrolą.

Zaciągnął kobietę na górę. Cisnął na rozpadające się łóżko. Skuliła się do pozycji embrionalnej i zacisnęła powieki, jakby to mogło ją przed czymkolwiek obronić. Jakby powtarzając w myślach „nie ma mnie... nie ma mnie...", w tej rzeczywistości przestawała istnieć.

Przyglądał się przez chwilę nagiemu, pokrwawionemu ciału, czując, że miałby ochotę na jeszcze więcej, ale brakło mu sił. Sprawdził, czy pęta na rękach i nogach dobrze trzymają, nakrył ją cuchnącym kocem, po czym wreszcie zostawił samą.

Jeszcze słuchała, jak szarpie się z zamkiem w drzwiach, wreszcie przekręcił klucz i… zaczęła płakać. Bezgłośnie. Łzy spływały po zapadniętych policzkach, mieszały się z krwią z rozbitych warg i skapywały na lepki od brudu materac.

Była w matni bez wyjścia. Świat nie miał pojęcia o jej istnieniu. Jedynie Hubert i Wiktor mogli się o Dankę upomnieć, ale żaden z nich nie wiedział, co się z nią stało.

Umrzeć – tylko tego pragnęła w tej chwili. Umrzeć, zanim to zwyrodniałe bydlę wróci po więcej.

Półżywa z bólu i szoku uniosła głowę i rozejrzała się w poszukiwaniu czegoś, co pomoże jej uciec w śmierć. Mogła stłuc okno, o ile się do niego dostanie, i wbić ostry odłamek w tętnicę szyjną, jeśli będzie umiała tego dokonać związanymi rękami. Nic innego nie przychodziło bliskiej obłędu kobiecie do głowy.

Zaczęła powoli, centymetr po centymetrze, pełznąć w stronę krawędzi łóżka…

„Trzeba znaleźć lepszą metę", myślał Zadra, rozwalony na sofie, z butelką piwa w ręce i pilotem do telewizora w drugiej. Złapał polską stację i bezmyślnie wgapiał się w wiadomości, nadal zdominowane przez drugą rocznicę zamachu.

„Bla, bla, bla… Kurwisyn Marciszewski aresztowany… Funkcjonariusze Gniewu Orła też… To się Karling ucieszy!". Zarechotał. „Gdybyście wy wszyscy wiedzieli, co ten stary pijak Zadra, bo tak o mnie mówią
kumple z Firmy, co więc ten stary moczymorda ukrywa
piętro wyżej… Z kim się przed chwilą zabawiał… Krwawymi łzami zapłaczecie, gdy zgłoszę się po dwie duże
bańki. Krwawymi łzami. A jeszcze gdy podjadę pod
Firmę nowiutkim mercem? Gdzie tam mercem! Lambo
prosto z salonu, to jest to! Stary na zawał zejdzie. Ci
wszyscy, którzy nie mogą się doczekać, by wypierdolić
mnie na emeryturę, posrają się z zawiści. Na pohybel
'przyjaciołom'!". Wypił piwo do dna i wyrzucił butelkę
przez okno – pan życia i śmierci już nie tylko Wiktora,
ale też Danki i Huberta.

„Muszę znaleźć dobrą kryjówkę, jeśli chcę się zabawiać z tą dupcią nieco dłużej". A chciał.

Otworzył miejscową gazetę i zaczął przeglądać ogłoszenia w poszukiwaniu mety idealnej. Kilka z nich wyglądało interesująco. W postkomunistycznym mieście było
wiele opuszczonych, tanich jak barszcz melin. Fabryki,
hangary, magazyny – każdy z nich mógł się nadawać
do celów Zadry: budynek na uboczu, tak odstręczający
wyglądem, by nie wabić ani kochanków, pragnących zaka-
zanych rozkoszy, ani miejscowych bandziorów. Bezdomnych też nie.

Poszukiwania zajęły Zadrze czas do wieczora. Lecz opłaciły się. Ostatnie miejsce, do którego przyjechał wypożyczonym fiatem, okazało się idealne dla jego brudnych celów: niedokończony hotel, zalany swego czasu ściekami z pobliskiej oczyszczalni. Fetor, jakim wysycone były ściany, skutecznie odstraszał wszystkich nieproszonych gości. Pieniądze, jakich zażądał właściciel, były tak śmieszne, że Zadra zapłacił od ręki. Pod warunkiem że przez najbliższy miesiąc nikt mu się nie będzie w inwestycję wpierdalał – tak zapowiedział właścicielowi, dając do zrozumienia, że będzie tu uprawiał zioło. Całą uprawę zabezpieczy oczywiście miejscowa gangsterka, jeśli więc właściciel nie chce skończyć na dnie Balty w betonowych butach, niech bierze forsę, dupę w troki i znika.

Właściciel kochał życie.

Ulotnił się tak szybko, żeby najemca nie zmienił zdania.

Zadra wrócił do mieszkania Helerta, zadowolony z siebie i nieludzko padnięty, ale zanim wyżłopie następne piwo i padnie na wznak, musi zajrzeć do swojej małej, ślicznej tajemnicy. Może przed snem jeszcze się trochę z nią zabawi?

Podniósł się z kanapy i ruszył do drzwi.

Danka, skulona na podłodze piętro wyżej, wstrzymała oddech, słysząc jego kroki, a potem zakwiliła z rozpaczą, wbijając zęby w brudną szmatę, którą ją zakneblował...

– Helert, masz widzenie. Ręce do skucia!

Wiktor tylko wywrócił oczami. Od rana, gdy wpadła w odwiedziny Danka i dała mu nadzieję na szybkie wyjście za „prywatną, bezzwrotną kaucją", był wyjątkowo grzeczny. Nie burzył się, nie wrzeszczał i nie walił pięściami w drzwi. Zjadł podłą breję, którą nazywano tu porcją obiadową, bez narzekań i ciskania miską o ścianę. Oto z upierdliwej mendy stał się więźniem idealnym.

Czekał jak na szpilkach, aż ktoś tam, jakiś przekupny gliniarz, dostanie swoją dolę i on, Wiktor, będzie wolny, ale dzień mijał, w zakratowanym okienku pod sufitem światło słoneczne zaczęło czerwienieć, wreszcie zgasło. Wolność nie nadeszła.

„Pewnie zwinęłaś tę forsę dla siebie i Karlinga", przeszło Helertowi przez myśl. „Jeśli tak, życzę wam, zupełnie na serio, bez sarkazmu, szerokiej drogi i pewnych melin. Nie dajcie się złapać".

Tak, im bardziej potrzebne były pieniądze. Przyjaciele się od tej dwójki odwrócili, tak mówiła Danka, pozostawili ich samym sobie, a jak niby mają ukrywać się przed policją, nie mając grosza przy duszy? Podłe motele, gdzie nie wymagają ID, kosztują. Grosze, bo grosze, ale jeśli mieszkasz w nich miesiącami, z tych groszy robią się pokaźne sumy. Oprócz tego trzeba coś jeść i czymś uciekać dalej. Czasem opłacić milczenie. Forsą, jeśli ten, który ma milczeć, nie reflektuje na zapłatę w naturze.

Wiktor poczuł prawdziwe współczucie dla dzielnej kobiety, jaką bez wątpienia była Danka – chociaż jej miłość do Karlinga zdawała się głupotą – i do tego ostatniego, który niewinny, jak oboje zapewniali, był ścigany niczym wściekły pies przez prawdziwie wściekłe psy.

Tak sobie rozmyślając nad niesprawiedliwością losu, już miał kłaść się spać – w rumuńskim areszcie światła gasili równo ze zmierzchem – gdy strażnik rąbnął w metalowe drzwi po drugiej stronie, aż zęby same zgrzytnęły, po czym krzyknął to swoje: „Helert, widzenie! Ręce do skucia!".

– Moglibyście darować sobie te kajdanki. Grzeczny przecież jestem – odwarknął po rumuńsku.

– Zamknij się. – I tyle w temacie.

Podał nadgarstki. Metal szczęknął nieprzyjemnie. Strażnicy tłuc już Helerta nie tłukli, ale zacisnęli mu obrączki tak, żeby poczuł.

– Wiktor, mój dobrze przyjaciel! – wykrzyknął na jego widok Kim Yoo Sin.

Helert uśmiechnął się szeroko. Spodziewał się wizyty Danki, a nie mistrza, ale ucieszył się z niej również, jeśli nie bardziej.

Uścisnęli sobie ręce, usiedli po obu stronach chwiejnego stolika. Koreańczyk mierzył przez chwilę młodego mężczyznę spojrzeniem, po czym wypalił:

– Co ty jeszcze tu robić?

Wiktor uniósł brew. Mógł zapytać o to samo. Co on jeszcze tu robi, skoro przekazał Dance informacje, gdzie są pieniądze? To właśnie powiedział Kimowi.

– Nie przynieść ich? Nie zapłaciła kaucja? A wyglądała uczciwa dama. – Mistrz pokręcił zmartwiony głową.

– Ona… – zaczął Helert i ugryzł się w język.

Przed Kimem nie miał tajemnic. Jego mentor był prawym człowiekiem, godnym zaufania. Co innego przysłuchujący się tej rozmowie gliniarze.

– Danka jest w podobnej sytuacji co ja – odezwał się powtórnie, nieco bardziej oględnie formułując myśli. – Powiedziałbym, że musi się nawet bardziej pilnować. Być może znalazła tę kasę i była z nią w drodze na posterunek, gdy… – Zawiesił głos. Niech się Kim domyśla.

Ten pokiwał głową.

– Sprawdzisz, co z forsą? Co z Danką? – W głosie Wiktora zabrzmiała prośba.

Naprawdę miał dosyć rumuńskich kazamat i serio martwił się o kobietę. Mieszkała pod jednym dachem z psychopatą. Jeśli nie wróciła z pieniędzmi dlatego, że dorwał ją Zadra, marny jej los.

– Pewnie. Zaraz tam iść – odparł Koreańczyk. – Plecy wprawdzie bolą i dlatego ja nie załatwić naszych spraw osobiście, nie wie nic, że Danka w problemie, ale teraz nie ma czas na litość.

– Właśnie jest! – oburzył się Helert. – Najwyższy czas, żeby się nade mną ulitować!

Roześmiali się obaj.

Wiktor pochylił się ku niemu i zdradził miejsce, gdzie powinny być pieniądze. O ile Danka z nimi nie przepadła. Stary człowiek wstał, znów pełen energii i gotów do działania, mniejsza o ból rwący lędźwie.

– Ty czekać na mnie. Wrócę z kaucja, Bigtoleu – dokończył czymś, co zabrzmiało, jakby się udławił. Wiktor słyszał ten wyraz tyle razy, że nawet się nie zdziwił: tak brzmiało jego imię po koreańsku. Chyba.

Starszy człowiek uścisnął go za ramię i wyszedł pospiesznie, odprowadzany pełnym nadziei wzrokiem nie tylko Helerta, ale i policjanta, który na słowo „kaucja" zaczął się niemal ślinić. Właśnie ten liczył na pokaźną łapówkę i właśnie on sprawił, że nad tym akurat aresztantem przestano się znęcać. Do czasu, rzecz jasna, gdy się nie okaże, że z łapówki nici. Z tego, co usłyszał, pieniądze ponoć zniknęły…

ROZDZIAŁ XI

Zadra właśnie kładł rękę na klamce, gdy do drzwi zapukano głośno, stanowczo.

Aż się cofnął. Gliny?! Tak szybko?! Może ktoś widział albo słyszał, jak poniewiera Dankę, może gdzieś tu są ukryte kamery? Spieprzać przez okno, czy otworzyć i rżnąć głupa? Jeśli rzeczywiście jakiś „uczynny" doniósł rumuńskiej policji o sadystycznym seansie na piętrze, dom może być otoczony i Zadra zarobi kulę, nim dotrze do parteru. Wielkiego wyboru więc nie ma…

– Kto tam? – zapytał po angielsku, bo z rumuńskiego znał tylko „curvă".

– Przyjaciel twojego przyjaciela – odparł ktoś z tak dziwnym akcentem, że zabrzmiało to jak „flend-ofjol-flend".

– Przyjaciel, powiadasz – mruknął bandzior do siebie i uchylił drzwi.

Za nimi stał chudy, skośnooki mężczyzna, uprzejmie uśmiechnięty i siwy jak gołąbek.

– Czego chcesz, żółtku? – Zadra nie silił się na uprzejmość i uśmiechy. Miał robotę do wykonania. Przyjaciel przyjaciela był mu potrzebny jak wrzód na dupie.

– Mam wiadomość – padła odpowiedź.

– Przekaż ją i spierdalaj.

Cios był tak szybki, że Zadra nie zauważył ruchu ręki. Zdziwiony ocknął się dopiero na przeciwległej ścianie. Chudy żółty człowiek pochylił się ku niemu i, ciągle z uśmiechem, rzekł:

– To pierwszy wiadomość: trochę kultura, gdy ty w gościach. Drugi wiadomość...

Nie dokończył. Uderzył w punkt znany tylko wtajemniczonym i rosły mężczyzna, który po poprzednim ciosie jeszcze kontaktował, teraz padł nieprzytomny twarzą w podłogę. Kim Yoo Sin przeszedł nad nim, już się nie uśmiechając. Gdyby był gorzej wychowany, splunąłby na bandziora.

Bez trudu odnalazł skrytkę pod parapetem i nieco zdziwiony, bo podejrzewał, że będzie pusta, wyciągnął pięć plików stuzłotowych banknotów. Wymieni je w najbliższym kantorze na pięćdziesiąt tysięcy lejów, a te w najbliższym areszcie na jednego Wiktora. Zadowolony strzepnął forsą o dłoń i... znieruchomiał, nasłuchując.

Z mieszkania na drugim piętrze dochodził dziwny odgłos. Jakby coś skrobało w podłogę. Szczur? Pies? Dźwięk był taki, jakby zwierzę, bo przecież nie człowiek, mozolnie pełzło po podłodze, czepiając się pazurami parkietu. Może trzymają tam jaszczura? Nieee, jaszczur byłby znacznie szybszy. To coś... zdawało się spore i dosyć powolne. No nic, są pieniądze, tamten w przedpokoju zaraz się ocknie, trzeba wracać na posterunek, wcisnąć łapówkę gliniarzowi i dopilnować, by Wiktor wyszedł z plugawego aresztu jeszcze dziś wieczorem.

Kim Yoo Sin wsunął pieniądze za pazuchę, sprawdził, czy Zadra żyje, po czym zniknął równie nagle, jak się pojawił. Zaś istota, którą mógł ocalić, mozolnie pełzła do okna. Czepiając się pazurami podłogi, centymetr po centymetrze pokonywała drogę dzielącą ją od szybkiej, łagodnej śmierci...

Doskoczył do niej w dwóch susach. Chwycił za włosy i rąbnął twarzą o podłogę z taką siłą, że natychmiast straciła przytomność.

– Chciałaś uciec, kurrrwo? – wysyczał, pobladły z wściekłości. I strachu. Gdyby tej suce się udało... Zamieniłby się z Helertem miejscami.

Wyjrzał przez okno, czy na pewno nie byli widoczni z plaży, ale nie. Drugie piętro było za wysoko dla ewentualnych ciekawskich, a plaża niemal pusta. Tylko gdzieś w oddali gziła się para zakochanych. Wieczór był zbyt chłodny na romantyczne spacery.

„Owinąć ją czymś i zanieść do samochodu", Zadra rozejrzał się po pokoju. Dywan wzbudzałby podejrzenia. Ale troskliwy mąż, niosący na rękach chorą żonę? Bezczelność popłaci!

Opatulił nieprzytomną kobietę kocem i wziął na ręce. Tuląc czule do piersi, zniósł bezwładne ciało na dół. Szepcząc słowa otuchy, złożył delikatnie na tylnym siedzeniu fiata, obiegł samochód dookoła i wskoczył na miejsce kierowcy.

– Nie martw się, kochanie – rzekł z sadystycznym uśmieszkiem. – Zaraz będziemy na miejscu. Nasz nowy dom na pewno ci się spodoba.

Danka, która przed chwilą odzyskała przytomność, zmartwiała z przerażenia.

Wiktor z Kimem wolnym krokiem zmierzali w tę, zadziwiająco chłodną jak na lipiec, noc do domu tego pierwszego. Zwolnienie z aresztu należy opić świetnym koreańskim soju. Już mistrz coś tam przemycał za pazuchą.

– Potrafisz się targować – mruknął z uznaniem Helert.

Jego przyjaciel wrócił nie tylko z papierem, dzięki któremu Wiktor wyszedł na wolność, ale z i ponad połową lejów. Tyle pozostało z wymiany złotówek na rumuńską walutę i odpalenia działki skorumpowanym glinom. Całkiem nieźle. Za trzydzieści tysi gliniarz kupi niestare BMW, a na miejsce wypuszczonego aresztanta zamknie kogo innego, żeby stan się zgadzał. Czysty zysk. Dla Wiktora również. Był twardym facetem, nie rozczulał się nad sobą. Po początkowym załamaniu wziął się w garść i trzymał fason, ale to dlatego – tylko dlatego – że pewien był, iż niedługo wyjdzie. Wiedział, a przynajmniej miał taką nadzieję, że Danka i Kim zrobią wszystko, by go uwolnić.

Nie zawiódł się.

– Zadra, gdy po nie przyszedłeś, był sam? – zwrócił się do przyjaciela. – Nie widziałeś w mieszkaniu śladów kobiety?

Koreańczyk pokręcił głową.

– Obejść mieszkanie tak na wszelki wypadek i nikogo nie znaleźć.

– Może Danka ukrywa się w piwnicy? – Wiktor nadal myślał na głos. – Nie zdobyła się jednak na podpieprzenie forsy spod nosa Zadrze, wierz mi, Kim, ten bandyta potrafi przerazić, i laska siedzi teraz w komórce za piecem. Po ciemku, głodna i nieszczęśliwa.

– A ty chcesz jej pocieszyć czy opowiadasz dla mnie bajkę?

Wiktor uniósł kącik ust w uśmiechu.

– Jedno i drugie.

– Mało ci kłopotów? Ta Danka jest poszukiwana, prawda?

Musiał przytaknąć.

Zbliżali się do plaży. Minęli wejście do prywatnej mariny i musieli zejść z drogi grupce mężczyzn, z których dwóch nie tyle prowadziło, co wlokło kompletnie pijanego kompana. Wiktor omiótł ich obojętnym spojrzeniem i nagle... stanął jak wryty. Ów kompan, tak troskliwie podtrzymywany przez swych rosłych jak byki kumpli, wyglądał znajomo. Tak znajomo, że Helertowi nie pozostało nic innego, jak zawołać po rumuńsku:

– Ej, panowie, dokąd go wleczecie?

Nie zatrzymali się. Ten po prawej spojrzał przez ramię i warknął krótko:

– Dute dracu!

– Zanim spierdolę, muszę wiedzieć, dokąd wleczecie mojego kumpla. – Wiktor stanął przed nimi i obrzucił Karlinga, bo to on był, uważnym spojrzeniem.

Był pobity do nieprzytomności, to jedno, może czymś spojony albo naćpany? Bóg jeden wie. Helert na pewno nie pozwoli tym bykom zabrać go... tam, dokąd go wloką po nocy. Kątem oka zauważył, że niepozorny, ale bardzo niebezpieczny Kim Yoo Sin ustawia się po jego lewej stronie.

Teraz było jeden na jednego, o ile Rumuni nie wezwą posiłków.

– Co dla was złego uczynić ten człowiek? – zaczął Koreańczyk pojednawczo.

– Buchnął łódkę naszego ziomala i my tę łódkę rozpirzyliśmy – wyjaśnił ten bardziej wygadany. – Musi zapłacić za łódź i straty moralne.

Och, Wiktor nie miał wątpliwości, że Rumun mówi prawdę. Desperat, a Karling był mocno zdesperowany, mógł próbować ucieczki kradzioną łodzią. Jak jednak tego pomyleńca uratować przed linczem? Bo Wiktor nie miał wątpliwości, że prowadzą go w miejsce, gdzie spokojnie się nim zabawią, a na koniec, gdy okaże się, że Polaczek nie ma forsy na odszkodowanie, po prostu ukatrupią.

Teraz, Helert, wykaż się dyplomacją...

– Jasne, skoro ukradł i łódź niechcący poszła w drzazgi, należy się rekompensata, bo przecież nie będziemy fatygować policji, co nie, przyjacielu?

Na słowo „policja" z lekka zesztywnieli.

– A może tak wam spuścimy wpierdol, a z niego wyciągniemy to, co się należy? – zaproponował ten drugi, dotychczas milczący. Łysy i napakowany, jakby anaboliki zażywał od urodzenia.

– On nie ma forsy. – Wiktor musiał zmartwić łysola. – A wpierdolu tak łatwo nam nie spuścicie, bo... cóż... jesteśmy uzbrojeni.

I nagle wszystko potoczyło się bardzo szybko.

Ten pierwszy wyszarpuje zza pasa pistolet, ale zanim zdąży go odbezpieczyć, Kim szybkim, mocnym kopnięciem wytrąca mu broń. Poprawia ciosem w grdykę. Drugi łysol zamierza się na Helerta, ale on jest równie dobry i szybki, jak jego mistrz. Wyprowadza jeden cios, potem drugi i aż mu w oczach ciemnieje z bólu. Zapomniał o zmiażdżonej przez gliniarza dłoni! Kości pękają nagle. Bandzior wbija pięść w jego splot słoneczny. Wiktor pada na kolana, tracąc oddech. Resztką świadomości widzi, jak Kim powala pierwszego i odwraca się błyskawicznie do drugiego napastnika, ale ten miał czas, żeby się uzbroić. Z całych sił zamierza się na staruszka metalowym prętem – skąd go wytrzasnął?! – i… pręt zderza się z deską. Deską? Skąd deska… Huk. Jasność. Ciemność. Nic.

ROZDZIAŁ XII

— Ej, Wiktor, żyjesz? — Ciche słowa w ojczystym języku przywitały go po tej stronie.

— Karling, niech cię szlag — wydusił tylko.

— Ja też się cieszę, że cię widzę — odrzekł z przekąsem Hubert, bo to on cucił nieprzytomnego od paru minut.

— Spieprzaj z tą chusteczką. — Wiktor odepchnął mokre coś, czym tamten przecierał mu twarz, i spróbował wstać.

Jeeezu, ale łysol miał cios! Miejsce po uderzeniu bolało tak, że Helert zatoczył się na bok i zwymiotował. Zaraz jednak poderwał się na równe nogi. Co z Kimem? Bo to, że Karling żyje i ma się nieźle, dało się zauważyć!

— Spokojnie, negocjuje. — Usłyszał głos Huberta i spojrzał w kierunku, który ten wskazał.

Rzeczywiście wyglądało to na negocjacje. Dwóch łysoli pochylało się ku niewysokiemu Koreańczykowi, a wszyscy trzej gestykulowali żywo, jak na pantomimie. Wiktor uniósł brwi, a potem spojrzał na Karlinga:

– Co negocjuje i skąd, do kurwy nędzy, się tu wziąłeś?!

– Długa historia...

– Jest z tobą Danka?

– Moja Danka? – Głos Huberta nagle oziębł.

– A czyja?! Znasz w Mangalii inną Dankę?!

– Co z nią? Gdy opuszczałem kryjówkę za piecem, była w drodze do twojego kumpla. Ryzykowała życiem, żeby uwolnić ciebie, Helert, a ty mnie pytasz, gdzie Danka? Więc: gdzie ona jest? – Chwycił Wiktora za bluzę na piersiach i przytrzymał.

– Już raz próbowałeś. – W głosie młodszego mężczyzny zabrzmiały ostrzegawcze nuty. – Puść albo spuszczę ci taki łomot, że ten, którego niedawno doświadczyłeś, będziesz wspominał z rozrzewnieniem...

Karling rozwarł palce. Nie będzie się przecież bił z przyjacielem, o ile Wiktor jeszcze nim był. Jeśli zrobił albo powiedział coś, co zmusiło Dankę do ucieczki... Palce same zacisnęły się w pięść.

– Co jej zrobiłeś, skurwielu? – syknął.

I w następnej sekundzie zarobił z pięści.

Odskoczył, tłumiąc jęk. Szczękę miał już obitą przez tamtych bandziorów. Przybrał pozycję do walki. Skinął na Helerta zachęcająco.

– A wam o co szło? – Kim Yoo Sin wszedł między nich i dodał: – Dogadaliśmy się. Dwie dyszki za łódź, piątaka za straty moralne i rozstajemy się z panami w przyjaźni. – Spojrzał na Rumunów. Ci może i nie znali angielskiego, ale że staruszek wzmocnił przekaz rozcapierzonymi palcami, musieli przytaknąć.

– Reszta z mojej renty. – Helert aż jęknął. – Kosztowałeś mnie, bydlaku, resztę forsy! – Zwrócił się z wściekłością do Huberta. Ten wzruszył tylko ramionami:

– Zbytek łaski. Nie prosiłem o wykup.

Wiktora zatkało.

– Nie dziękuj tak wylewnie za uratowanie dupy! Ależ nie rzucaj mi się na szyję i nie całuj, nie całuj! – krzyknął, unosząc ręce z frustracji. – Człowieku, potrafisz okazać ludzkie uczucia tym, co nadstawiają za ciebie karku? Kima mało nie ukatrupili metalowym prętem...

– Powstrzymałem ich.

– Mnie przywalili z pięści tak, że mało nie odleciałem na tamten świat...

– No właśnie, jakim cudem taki chojrak jak ty nie powstrzymał napakowanego półmózga? Jesteś niezły w taekwondo, jak mniemam...

– Bo mam palce połamane! A połamali mi je w areszcie, gdy siedziałem za spluwę, którą ty, właśnie ty, skurwielu, podpieprzyłeś Zadrze!!!

Normalnie aż mu opadły te uniesione ręce, tak niewdzięczność Karlinga go zbulwersowała.

– Wiktor, ty głęboki oddech – poradził mu Kim, ale on tylko pokręcił głową.

Gdyby mimo wszystko nie śmieszyła go ta cała sytuacja, chyba rozpłakałby się z wściekłości. Szczególnie w chwili, gdy pieniądze – jego pieniądze! – przechodziły do rąk łysoli, a Karlingowi powieka nawet nie drgnęła.

– Wykrztuś chociaż „dziękuję"! – Helert palnął go w ramię.

– Jeśli poprawi ci to humor: dziękuję. Gdybyś wiedział, po co wypłynąłem na morze, zrozumiałbyś, że wdzięczny nie jestem.

– Rozumiem, że to pierwsza część tej „długiej historii"?

Karling wzruszył ramionami.

– Iść my, chłopcy – przerwał im Koreańczyk – zanim nasi przyjaciele się rozmyślić. Właściciel łodzi zły i wściekły na ciebie. Chcieć mordować.

Karling ponownie wzruszył ramionami.

– Ja i tak jestem już martwy – odmruknął, nie patrząc ani na Kima, ani na Wiktora. – Szkoda tylko twojej kasy.

– Skoro jesteś martwy, to co tu, kurrrwa, robisz?! – Helert wściekł się ponownie. – Czemu nie strzeliłeś sobie ze zdobycznego glocka w łeb, tylko włóczysz się po Mangalii z podejrzanymi typami i ludzi narażasz?! – Pchnął Karlinga w kierunku domu i ruszył za nim.

Hubert chciał, naprawdę chciał to właśnie zrobić, ale los jak zwykle stanął okoniem.

Odciągnąć łowców od Danki, odpłynąć w stronę Konstancy, największego miasta na rumuńskim wybrzeżu, i dopiero ze sobą skończyć – to właśnie zamierzał. Jeśli jakimś cudem znaleźliby jego zwłoki i je zidentyfikowali, to nie na brzegu Mangalii, gdzie zaraz zaczną się rozglądać za „osobą towarzyszącą", tak poszukiwaną jak on sam, tylko jak najdalej stąd. To chyba jasne.

Płynął więc na północ całą mocą silników, gdy... jacht wynurzył się z ciemności niczym Bóg Umarłych, szybki i cichy. Zanim Karling zdążył zareagować, czy choćby pomyśleć o ucieczce, rąbnął w bok łodzi z taką siłą, że po prostu zdmuchnął mężczyznę z podkładu.

Ci, którzy nakierowali na niego łódź, nie zamierzali Karlinga utopić, o nie. Przynajmniej jeszcze nie teraz. Może za godzinę-dwie będą mu robić waterboarding*, ale na razie wyłowili wyrywającą się ofiarę bosakiem, ogłuszyli wiosłem i wciągnęli na pokład. Gdy odzyskał przytomność, spuścili mu taki wpieprz, że pożałował nie

---

* Tortura polegająca na wywołaniu wrażenia tonięcia.

tylko tego, iż ukradł małą łódź, ale i tego, że w ogóle się narodził. Nie miał pojęcia, gdzie się tego nauczyli, lecz ci Rumuni naprawdę potrafili tłuc, żeby nie zatłuc, lecz tak, by się pamiętało manto do końca życia.

Półżywego wyciągnęli na brzeg, troskliwie ujęli pod ramiona i powlekli dokądś po coś. Mógł się jedynie domyślać, co będą mu robić po cichych obietnicach tego bardziej wygadanego. Drugi, łysy i potężny, więcej milczał niż mówił.

Radosny kondukt powstrzymało parę słów po rumuńsku, wypowiedzianych dziwnie znajomym głosem – serio?, Wiktor Helert tutaj?, przecież miał gnić w areszcie! – a potem ten sam Helert wdający się z oprychami w bijatykę.

We dwóch, z nieznanym Hubertowi małym, chińskim staruszkiem, radzą sobie całkiem nieźle do chwili, gdy Wiktor nie obrywa z pięści w splot. Z taką siłą, że pada na kolana, a Hubert trzeźwieje gwałtownie, chwyta, co ma pod ręką – przygodną dechę – i ratuje życie małemu, chińskiemu człowieczkowi, którego oprych ukatrupiłby metalowym prętem.

Człowieczek kończy ze swoim bandziorem, Hubert wykańcza tego Helertowego i oto stoją zwycięsko na polu bitwy, popatrując na siebie. Oczywiście nie za długo. Zwycięstwo będą opijać w bezpiecznym miejscu. Teraz trzeba się zająć nieprzytomnym, a może martwym towarzyszem…

Helert jest oczywiście twardzielem i byle pięść w splocie mu nie wadzi. Dosyć szybko staje na nogi i od razu zaczyna się ciskać. Mały chiński człowieczek ugaduje się z wielkimi rumuńskimi bandziorami i wcale sprawnie mu to idzie, bo po wymianie fantów „forsa za jeńca" żegnają się uprzejmie i odchodzą. I wszystko byłoby jak w bajce, nawet glock zostaje w rodzinie, gdyby nie...

– Gdzie ona jest?

I znów mało się nie pozabijali. Tych dwóch – Helert i Karling – naprawdę działało na siebie jak płachta na byka.

Ten drugi zasugerował, że ten pierwszy maczał palce w zniknięciu Danki, ten pierwszy od razu się wściekł, że tak, kurwa, nie ma nic lepszego do roboty, tylko uganiać się za poszukiwaną przestępczynią. Szczególnie gdy nie może się opędzić od młodych, pięknych, chętnych i przede wszystkim w o l n y c h lasek!

– Naprawdę masz nasrane we łbie, jeśli myślisz, że cała męska populacja leci na twoją żonę! Albo rozbuchane ego mózg ci wyżarło! Hubert Karling, bożyszcze kobiet, i Danka Rawit, jedyna godna. Lecz się, przygłupie!

Oczywiście ten chwycił Helerta za fraki i Kim znów musiał interweniować. Wszedł między nich, roztrącił obu na boki jednym pchnięciem stalowych ramion i rzucił groźnie:

– Jeszcze mało kłopot i problem? Niby dorośli, a kłócić jak dzieci. Dzieci o zabawkę, duzi chłopcy o kobietę. Może najpierw spróbować ją odnaleźć?

I to był głos rozsądku.

Obaj ochłonęli. Świat był na nich wystarczająco cięty, by jeszcze sobie skakali do oczu.

Schodząc na plażę, gdzie nie było kamer i latarni, przez jakiś czas szli w milczeniu, nie patrząc jeden na drugiego.

– Jakim cudem znalazłeś się na morzu, zamiast bezpiecznie gnić w piwnicy? – zapytał nagle Wiktor, przerywając ciszę.

Karling parsknął śmiechem. Mógł faceta nie cierpieć i przy lada okazji startować do niego z łapami, ale odmówić Helertowi poczucia humoru nie potrafił.

– Zwiałem – odparł krótko.

– No nigdy bym się nie domyślił!

Znów musiał się zaśmiać.

– Uciekasz od jakichś dwóch lat – ciągnął Wiktor. – Coś się zmieniło, że zdecydowałeś się na double-escape?

Podwójna ucieczka? Brzmi dobrze…

– Wiesz, że ja i tylko ja jestem dla Danusi zagrożeniem – odparł Karling, poważniejąc. – Zniknę, ona ma szansę wrócić do normalności. Zostanę, w końcu nas dopadną i w najlepszym razie mnie zastrzelą, ją aresztują. Nie chcę, żeby patrzyła na moją śmierć. Nacierpiała się wystarczająco.

– Sam ją w to wplątałeś – zauważył Wiktor półgłosem.

– Tak. Masz rację. Podły los postawił mnie na drodze niczemu niewinnej kobiety. Wierz mi, gdybym wiedział, w co siebie i ją pakuję, strzeliłbym sobie w łeb dwa lata temu, na zacisznej leśnej polance, gdzie dwóch siepaczy próbowało mi zrobić samobójstwo. Wtedy jednak myślałem, że wystarczy udowodnić swoją niewinność, a miałem twarde dowody, wskazać prawdziwych zamachowców i będę wolny. A ona, Danka, może będzie żyć. Tamtej nocy próbowała się zabić. Zmusiłem ją, by mi pomogła. Dostałem cztery kule, krwawiłem jak cholera. Danusia zrobiła wszystko, żebym przeżył. Wszystko, Wiktor. A wtedy jeszcze nie była we mnie zakochana. Prawdę mówiąc, szczerze mnie nienawidziła, że przeszkodziłem jej w samobójstwie. Gdybyś słyszał, jakimi słowami mnie raczyła…

Uśmiechnął się na wspomnienie tamtej Danki.

– Ocaliła więc moje nędzne życie, wiedząc, że jestem poszukiwanym zabójcą, nie z miłości, a przez zwykłą ludzką dobroć. I za tę dobroć jest teraz ścigana po całym świecie.

Wiktor słuchał jego cichej spowiedzi bez słowa. Co niby mógł powiedzieć? Zachwycić się poświęceniem lekarki? Może poklepać Karlinga po plecach i zapewnić, że wszystko będzie dobrze?

Nagle jednak musiał zareagować, bo ten potknął się i zatoczył na niego. Chwycił Huberta pod ramię w chwili, gdy ten zaczął osuwać się na zimny piach.

– Ej, stary, co ci jest? – Potrząsnął mężczyzną, zaniepokojony. – Wstawaj, nie dotargamy cię z Kimem do domu. Nie ma mowy!

– Daj... daj odetchnąć – usłyszał szept.

– Nie no, spoko, jak dla mnie możesz uciąć sobie drzemkę, a nawet wyspać się za wszystkie czasy, gdy cię nad ranem gliny zgarną. Wstajesz?

Próbował postawić Karlinga na nogi i nagle... Uniósł dłoń do oczu. Palce miał lepkie od krwi.

– Noż w mordę, ty jesteś ranny, palancie! – krzyknął przyciszonym głosem, ale i tak wściekły. – Czym oberwałeś i gdzie?

– Nożem. W bok. Nic groźnego.

– Rzeczywiście, ot, draśnięcie. A cały bok masz we krwi. Kurrr... – Zmiął w ustach przekleństwo, które nie na wiele by się zdało. – Nie mogłeś powiedzieć wcześniej? Zaraz po tym, jak odbiliśmy cię z rąk tamtych?

Zmusił Karlinga do położenia się na wznak, ściągnął z własnego grzbietu bluzę, zdjął podkoszulek i jednym szarpnięciem rozerwał na długi pas. Drugim na dwa jeszcze dłuższe, z których mógł zrobić prowizoryczny bandaż.

Kim Yoo Sin, który towarzyszył im do tej pory niczym cichy duch, przyklęknął obok rannego i własną bandanę, którą nosił na szyi, złożył w opatrunek uciskowy. Wyciągnął naglącym gestem dłoń po T-shirt Wiktora.

– Być sanitariuszem – wyjaśnił i szybko, sprawnie zabandażował ranę. – Leży jeszcze chwilę, nie wstaje. Przyniosę coś do picia.

Coś do picia? Tutaj? – Wiktor rozejrzał się po pustej, ciemnej plaży. Chyba Kim nie poda rannemu morskiej wody?

Nie, Koreańczyk ruszył w przeciwnym kierunku.

Gdy zostali sami, Karling próbował chociaż usiąść, ale został bezceremonialnie pchnięty z powrotem na piach.

– Słyszałeś, co mówił Kim: leż i nie wstawaj. Ja… – Wiktor rozejrzał się w poszukiwaniu zajęcia. Trudno było patrzeć na słabość takiego twardziela, jak on sam.

Ów twardziel właśnie przytrzymywał go za rękaw bluzy.

– Wiktor, uratuj Danusię, proszę cię… – W głosie Huberta było znać, że nie przywykł do błagań. – Tylko na tym mi zależy. Ja… widzisz, kiedyś byłem tak zwanym prawym obywatelem. Należałem do elitarnej jednostki, chroniącej Polaków na całym świecie. Odbijałem ich z łap terrorystów, odpłacałem skurwielom pięknym za nadobne. Szanowali nas, bali się Gniewu Orła. Tamten dzień, kiedy wrobiono mnie w zamach na Prezydenta, zmienił wszystko nie tylko w moim życiu, ale i życiu moich przyjaciół, braci. Danka jest ofiarą tego spisku, a ja, żołnierz Gniewu Orła, nie tylko nie potrafiłem jej obronić, ale pociągnąłem do tego piekła. Piekła ściganej zwierzyny. Tego nie mogę sobie darować. Zamiast jej bronić, wpycham ją coraz głębiej w bagno. Masz świadomość, że każdy może nas zastrzelić bez ponoszenia konsekwencji? Jeszcze jakiś medal dostanie. Zamiast kary za zabójstwo zgarnie dwa miliony złotych. Za zabicie dwojga niewinnych ludzi. Prawdę mówiąc, dziwię się, że ty jeszcze na to nie wpadłeś…

– …a chcesz w ryj?

Uśmiechnął się mimo wszystko, ale zaraz ponownie spoważniał:

– Mniejsza o mnie, Wiktor, ale trzeba ocalić Danusię.

Helert słuchał jego cichych słów, zaciskając szczęki w bezsilnej wściekłości. Wierzył temu człowiekowi. Wierzył całym sercem. I co z tego?

Jakaś część jego jestestwa, być może ta postradana po postrzale, szeptała: „On wie, co mówi. Możecie sobie przybić piątkę. Ty też jesteś ofiarą bezmiaru niesprawiedliwości. Również zostałeś skazany za niewinność i pokutujesz za nie swoje grzechy". Druga część sprzeciwiała się, judziła: „Więzienia są pełne 'niewinnych'. Każdy z bandziorów, a tak nazywa cię opłacany przez rząd agent sił specjalnych, powtarza, że siedzi przypadkiem, że nic nie zrobił, że to spisek i niesprawiedliwość. Dlaczego więc nie ty?".

Bo brzydzę się przemocą wobec słabszych.

Czy to jednak argument na twoją obronę?

– Nie wiem, czy potrafię jej pomóc – odparł szczerze. – Ona kocha ciebie i tylko ciebie. To są słowa Danki: „Nie mogę bez niego żyć".

– Musi się nauczyć. – W głosie Karlinga zabrzmiała stal.

– Jej to powiedz.

– Wiktor! Ona dostanie najwyżej pięć lat! Pięć durnych lat w piekle o wiele mniejszym niż teraz. Nie wiesz, co musiała znosić...

– Nie kończ, pliss. Domyślam się. Naprawdę nie potrzebuję szczegółów.

– I dlatego proszę ciebie, właśnie ciebie, ponoć „bandytę", o pomoc! Bo ty się tylko domyślasz, a poprzednie łachudry korzystały! Rżnęli żonę podejrzanego facia, bo mogli. Bo sama na kolanach o to prosiła!

– Człowieku, dosyć!

– Wiesz, co czułem, prowadząc ją do nich? Domyślasz się, co czuła ona?

– To pierdolony szantaż! Nie musisz...

– Wiktor, dopiero gdy zrozumiesz, jak bardzo zdesperowany jestem ja, by uwolnić ją od siebie, i jak zdesperowana jest ona, bym przeżył... dopiero wtedy zrobisz wszystko, by ją ocalić.

Cisza, jaka zapadła po słowach tego niegdyś dumnego, dziś złamanego przez podły los i jeszcze podlejszych ludzi mężczyzny, dałaby się kroić nożem.

– Skażą ją najwyżej na pięć lat. – Hubert, gdyby nie leżał jak kłoda, padłby przed nim na kolana. Dla niej, dla Danusi. – Jeśli wyzna, że zmuszałem ją... Jeśli biegły stwierdzi, że to typowy przykład syndromu sztokholmskiego*, zostanie uniewinniona. A wiesz, jacy są ci wszyscy biegli. Biegają dla tego, kto więcej zapłaci. Moi przyjaciele mają pieniądze.

Tu mógł się zdziwić, gdyby ktoś go uświadomił, że część jego przyjaciół siedzi w aresztach wydobywczych, druga część się ukrywa, a trzecia ciuła na kaucję.

Helert patrzył przed siebie, na srebrzysty szlak, który światło księżyca kładło na morskiej toni.

Pytające: „Wiktor?" wyrwało go z zamyślenia.

Zamrugał jak obudzony z sennych majaków.

Widział w nich swoją Nisię – jak ona, na miłość boską, naprawdę ma na imię?! – swoją śliczną kochaną, rudowłosą i zielonooką Nisię, jak wciągnięta przez niego, Wiktora, w parszywe bagno musi ukrywać się po piwnicach, żyć

---

* Stan psychiczny, który pojawia się u ofiar porwania lub u zakładników, wyrażający się odczuwaniem sympatii i solidarności z osobami je przetrzymującymi. Może osiągnąć taki stopień, że osoby więzione pomagają swoim prześladowcom w osiągnięciu ich celów lub w ucieczce przed policją.

w ciągłym strachu, a co najgorsze, raz na jakiś czas obsługiwać obleśne wieprze, żeby chronić skórę ukochanego faceta. Jak by się czuł, prowadząc dziewczynę ze snów do innego, żeby zapłaciła ciałem i godnością za jego, Wiktora, wolność?

„Zrobię wszystko, co w mojej mocy, by ocalić choć ciebie, Danka", pomyślał.

Nigdy więcej nie pozwoli poniżyć. Ani Nisi, ani Danki. Tak mu dopomóż ten, który powinien być w niebie, a chyba zaspał. Skoro pozwala na takie cierpienie... tak, musiał się zapomnieć.

Koreańczyk, wracający ze zdobyczną butelką wody, wybawił Helerta od odpowiedzi.

ROZDZIAŁ XIII

Wreszcie dotarli do domu…

Kim został z Hubertem na plaży, a Wiktor ruszył na zwiady. Nie chcieli się przecież natknąć na Zadrę.

Jednak mieszkanie na piętrze było puste. To na parterze również. Piwnice też sprawdził na wszelki wypadek i mógł wracać po przyjaciół.

Pomogli Hubertowi dotrzeć do skrytki za piecem, dopilnowali, by się położył. Kim od razu wyruszył na poszukiwania czegoś bardziej odpowiedniego na opatrunek niż podarty T-shirt, znów zostawiając tych dwóch facetów samych. Jeszcze rzucił coś w stylu: „Spróbujcie się nie pozabijać" i już go nie było.

– Słuchaj, Karling – zaczął Wiktor – wszystko ładnie-pięknie, ale masz jakikolwiek pomysł, gdzie ta twoja Danuśka może być? Nie śledziłem ani ciebie, ani jej.

Możesz myśleć, co chcesz, ale naprawdę nie jesteście centrum mojego uniwersum. Dankę widziałem ostatnio w sali widzeń. Obiecała wydobyć forsę ze skrytki i wpłacić za mnie kaucję. Nie dotarła ani Danka, ani kaucja, więc…?

Hubert rozejrzał się bezradnie po pokoju, jakby mógł na życzenie Wiktora wyczarować jakąkolwiek wskazówkę.

Jeśli mieli nadzieję, że Danka odnajdzie się w schowku za piecem, musieli się rozczarować. W bezpiecznym schronieniu jej nie było. Nie zostawiła choćby paru słów wyjaśnienia, dokąd się udaje. Choćby informacji, że w ogóle opuszcza kryjówkę, dziękuje za wszystko i Wiktor z Kim Yoo Sinem mają jej nie szukać. A tak by przecież postąpiła. Nie odeszłaby bez słowa.

Wrócił Kim z igłą, nicią, bandażami i środkiem odkażającym – skąd? jak? – zapytał uprzejmie: „Mogę?" i nie czekając na odpowiedź, zaczął nawlekać nić na igłę tak grubą, że Wiktorowi zrobiło się niewyraźnie. Karling patrzył na to zupełnie beznamiętnie, a potem w ciszy, również bez najmniejszego jęku zniósł szycie na żywca. Urósł tym w oczach Wiktora, nie ma co! Ten oderwał wzrok od łączonych tą cholernie grubą igłą tkanek, odchrząknął, coby głos nie odmówił mu posłuszeństwa i rzekł na głos to, czego wszyscy trzej się w duchu obawiali:

– Skoro Danki nie ma tutaj, a nie ma, skoro nie zostawiła żadnej informacji, co zamierza, a powinna… musiała natknąć się na Zadrę. Przecież nie wyszła na spacer pod gwiazdami, bo noc taka piękna. Zresztą z plaży właśnie wracamy.

Urwał, bo Hubert chyba właśnie odpłynął.

– I dobrze. Mniej boli – mruknął Kim, spokojnie kończąc szycie.

Szybko odkaził ranę, zabandażował i można było cucić Karlinga mocną whisky, którą Wiktor przyniósł od siebie. Przy okazji raz jeszcze przeszukał zarówno nie tylko swoje mieszkanie, ale i to na parterze. Nic. Ani śladu kobiety.

Wrócił do piwnicy. Hubert był już przytomny. Posłał młodszemu mężczyźnie pytające spojrzenie, ale ten wzruszył ramionami.

– Nie zabrała żadnych rzeczy, torebka jest na miejscu, nie zostawiła głupiej kartki „Zaraz wracam" ani niczego, co dałoby nam jakikolwiek punkt zaczepienia – Wiktor mówił to ni do siebie, ni do nich. – To znaczy jedno: zniknęła w niespodziewanych okolicznościach. A to oznacza drugie: w jej zaginięciu maczał palce Jan Zadra.

Słabo to wyglądało. Naprawdę nieciekawie.

– Znajdziemy jego, znajdziemy ją – skwitował i wstał. – Ty tutaj siedź – zwrócił się do Huberta po polsku. – My z Kim Yoo Sinem rozejrzymy się raz jeszcze po moim mieszkaniu. Może coś przeoczyłem.

– Twój przyjaciel, Chińczyk…

– Jest Koreańczykiem, do cholery!

– Skąd miałem to wiedzieć? Oni wszyscy są do siebie podobni.

– Oj, zamknij się. – Wiktor naprawdę nie miał humoru.

– Więc jeszcze raz: twój przyjaciel, Koreańczyk, mógłby popytać dyskretnie gliniarzy, czy nie aresztowali Danusi. Skoro miał takie znajomości, że wykupił cię z pierdla...

– Dobry pomysł.

Wiktor zwrócił się do Kim Yoo Sina i powtórzył sugestię po angielsku. Ten skinął głową i po chwili zostali sami.

– Słuchaj, Helert... Gdy odnajdziesz Danusię, bo odnajdziesz ją, no nie?... – zaczął Hubert już nie tak zadziornym tonem jak jeszcze chwilę wcześniej. W towarzystwie Wiktora nie musiał grać bohatera.

Ukrywanie się w tym małym, podłym pomieszczeniu, ucieczka kradzioną łodzią, łomot, jaki spuścili mu Rumuni, cios nożem, szycie na żywca rany, wreszcie strach o Dankę – sprawiły, że ten twardziel, żołnierz Gniewu Orła, w końcu zaczął się rozklejać. Może nie od razu ronić łzy, ale ukazywać ludzkie uczucia. Gdy pytał, czy Wiktor odnajdzie Dankę, głos zaczął mu się łamać.

– ...wyjedź z nią. Zabierz ją jak najdalej stąd, choćby do Chile, gdzie będzie mogła spokojnie żyć. Bez oglądania się co chwila, czy ktoś jej nie tropi. Bez życia w ciągłym strachu, że ten dzień będzie ostatnim na wolności. Ostatnim, gdy żyjemy oboje. Ona jest dobrym człowiekiem. Zasługuje na wszystko, co najlepsze...

– I wybrała takiego ciebie – Helert wpadł mu w słowo.

Karling zmilczał zawoalowaną zniewagę. Chociaż może nie do końca była to zniewaga?

– Człowieku, po pierwsze, sam się ukrywam – zaczął Wiktor. – Jestem na garnuszku i smyczy polskiego rządu. Gdybym nagle zniknął, a służby wiedzą, że gdzieś tutaj przywarował zabójca prezydenta i jego laska, rzuciłyby się za nami w pogoń jak wściekłe psy. I mielibyśmy o wiele mniejsze szanse na ucieczkę niż dotychczas ty z Danką. Z tego, co się domyślam, do tej pory nie mieli punktu zaczepienia. Nie wiedzieli, w jakim kierunku zwiałeś tuż po zamachu. Wpadli na wasz ślad niedawno. Wiedzą, że jesteście gdzieś tu, w Rumunii, ale nic poza tym. O ile rzecz jasna Zadra nie dorwał Danki albo ona sama nie wpadła w łapy policji. Myślę jednak, że i w pierwszym, i w drugim przypadku roiłoby się już tutaj od glin. Płacą za ciebie dwie duże bańki. Kto pogardzi takimi pieniędzmi?

– Zadra? – Pytanie Huberta zabrzmiało jak pewność.

Nie znał typa, ale sam fakt, że tamten wrobił Wiktora w areszt, rumuński areszt, mówił wszystko.

Helert zmrużył oczy, zastanawiając się nad sugestią mężczyzny. Czy Zadra mógł wzgardzić dwoma milionami złotych? Nie ma takiej opcji. Był równie chciwy, co okrutny. A może najpierw okrutny, a dopiero na drugim miejscu chciwy?

– Tak, to ma sens – mruknął bardziej do siebie niż do Karlinga. – Ze zwykłej podłości mógł uprowadzić Dankę, wykorzystać ją i dopiero potem wydać ją glinom. Albo łamać ją dotąd, aż wskaże, gdzie ty się ukrywasz.

Był bliski prawdy.

Gdyby pamiętał swoją przeszłość i wszystkie podłości, których Zadra dopuścił się w stosunku do niego, Wiktora, nie zgadywałby, lecz od razu ruszył na poszukiwanie kobiety. Wiedziałby bowiem, że ten sukinsyn jest zdolny do wszystkiego.

Nie. Nawet gdyby wróciła mu pamięć, nie przyszłoby mu do głowy, że Zadra nie tylko wykorzystuje zdaną na jego łaskę i niełaskę Dankę Rawit, ale po prostu się nad nią znęca. Okrutnie, wręcz sadystycznie syci swoje chore ego cierpieniem i poniżeniem kobiety…

ROZDZIAŁ XIV

Przyglądał się, jak odzyskuje przytomność. Jak unosi głowę i rozgląda się dookoła oczami wypełnionymi bólem i szokiem. Jak jej wzrok pada na niego i te oczy gasną. Jeszcze przed chwilą wypełniało je życie, teraz były dwiema martwymi dziurami bez nadziei.

– Powiesz mi, gdzie znajdę Huberta Karlinga, czy bawimy się dalej? – zadał to pytanie takim tonem, że skuliła ramiona.

Zdjął jej knebel i zupełnie niepotrzebnie czekał na słowa kobiety, bo znał je na pamięć. Za każdym razem powtarzała to samo: „Nie wiem. Ja nic nie wiem!".

Usiadł naprzeciw niej, rozkraczając nogi. Splótł ręce na oparciu krzesła i mierzył kobietę zimnym wzrokiem.

– Byłaś w tamtym domu, mieszkaliście razem i…?

Prawdę mówiąc, gówno go obchodziła jej opowieść,

ale wiedział, że gdy ktoś zacznie gadać, może niechcący się sypnąć. Rozmowa czasem więcej zdziała niż przemoc fizyczna. Ale Danka pokręciła głową. Nie może przecież zdradzić temu psychopacie, że w ich ucieczkę zamieszany jest Wiktor. Zadra ani razu o niego nie zapytał.

Chwycił ją za kark tak gwałtownie, że krzyknęła. Zacisnął drugą dłoń na jej ustach, a potem odgiął głowę kobiety, niemal łamiąc jej kark.

– Wkurwiasz mnie, dziwko – syknął, patrząc z odrazą na zakrwawione usta, posiniaczone policzki, podbite oczy. Nie miała już w sobie nic ze ślicznotki, która nie dawniej jak wczoraj dawała mu chętnie, jakże chętnie, dupy. – A ja wkurwiony robię się niemiły. Do tej pory pytałem po dobroci. Trochę cię obiłem, trochę podpiekłem, ale tak na serio się za ciebie nie zabrałem. Jednak czas płynie, ja nadal nie znam odpowiedzi na pytanie, gdzie są moje dwa miliony. Wiesz, co to jest waterboarding?

Ogromniejące oczy kobiety i błysk przerażenia w nich wystarczyły za odpowiedź.

Puścił ją i patrzył, jak oddycha szybko i płytko, chora ze strachu. Ale to jeszcze nie był TEN strach, o nieee…

– Ile wytrzymasz? – zapytał bez ciekawości.

Agenci sił specjalnych, trenowani do zadawania i znoszenia tortur, poddawali się po kilkunastu sekundach podtapiania. Rekordziści po dwudziestu. Ciekawe, ile potrzeba pani doktor, by przypomniała sobie nie tylko wszystko, co wie na temat Karlinga, ale także to, czego nie wie i czego się już nie dowie...

Była naprawdę niezła. Całe dziesięć sekund. Z zegarkiem w ręku.

Zerwał folię z twarzy półprzytomnej kobiety i patrzył, jak Danka próbuje zaczerpnąć powietrza, krztusząc się i plując wodą. Łzy płynęły z wybałuszonych, bliskich obłędu oczu. Palce zaciskała i rozwierała, jak wyrzucona na brzeg ryba, co otwiera i zamyka skrzela.

Teraz wystarczyło, że uniósł butelkę z wodą, w której przed chwilą topił kobietę, by ta zaczęła krzyczeć przeraźliwie:

– Powiem! Będę mówić! Wszystko, co wiem! Tylko nie rób mi tego! Powiem!

– Widzisz, suko? Nie można było tak od razu? – Uniósł do ust butelkę i upił łyk.

Danka przechyliła się i zwymiotowała mu pod nogi. Pacnął ją otwartą dłonią w twarz, ot tak, bez specjalnego gniewu, a ona, widząc, że znów unosi butelkę, zaczęła go przepraszać, wręcz błagać o wybaczenie.

Waterboarding? W życiu nie widział skuteczniejszej metody!

– Zacznijmy od początku. – Ujął ją pod brodę i uśmiechnął się łagodnie. – Wprowadziliście się do mieszkania na parterze i...?

Parę minut później, słysząc po raz pierwszy imię „Wiktor" – właśnie „Wiktor", nie „Hubert" – pochylił się ku Dance jeszcze bardziej zainteresowany jej opowieścią. Szczęśliwa, że daje Zadrze to, czego ten chce, mówiła coraz szybciej, coraz chętniej dzieliła się informacjami, które przez tak długi czas – i tyle cierpienia – udawało się jej zatajać.

„Mów! Cokolwiek! Byle nie sięgnął po folię i butelkę!". Umrze, była tego pewna!, po prostu umrze, jeśli on po raz drugi zacznie ją topić! Nie przeżyje powtórnych tortur! Zaczęła płakać, ale mówiła dalej, szczękając zębami z przerażenia.

– A więc ten bękart pomagał wam od początku – syknął Zadra, gdy opowiedziała o kryjówce za piecem.

– Tak, to Wiktor pokazał nam to ukryte pomieszczenie! To on!

Twarz Zadry wykrzywiła się w upiornym uśmiechu, który zachwycił kobietę. Nawet jeśli jej opowieść pogrąży Helerta, Danka powie wszystko, byle tylko uśmiechnięty psychopata nie sięgnął po butelkę!

Kwadrans później opadła wyczerpana na twarde drewno – do tortury ułożył ją na skrzydle drzwi – i wyszeptała:

– Nic więcej nie wiem.

Zadra klepnął dłońmi w kolana i wstał.

Przez chwilę patrzył na Dankę z góry, zastanawiając się, czy zerżnąć ją na odchodnym, czy zrobić to po powrocie, ale uznał, że czas to pieniądz. Dziwka poczeka – nie miała na ucieczkę najmniejszych szans – za to Karling nadal był na wolności. I mając takich pomagierów jak Wiktorek i jego skośnooki mistrzunio, może się wymknąć.

Pochylił się nad Danką, szepnął: „Czekaj na mnie, kochanie", po czym wbił jej butelkę w płeć, aż szarpnęła się, nieprzygotowana na taki ból, i ruszył do drzwi. Nie! Jeszcze zawrócił i z uśmiechem rzucił jej na twarz ociekającą wodą, foliową torbę.

– Nie możesz tu zostać. – Wiktor stanowczo ujął Karlinga pod ramię i uniósł do pionu.

Mężczyzna zaczął gorączkować od rany po nożu i pobicia, ale cóż... gorączka go nie zabije, przynajmniej nie tak szybko, źli ludzie – owszem.

– Jestem tutaj bezpieczny, sam to powtarzałeś.

– B y ł e ś bezpieczny. Jeśli Zadra dorwał się do twojej kobiety, to kwestia czasu, kiedy ją złamie...

– Danka mnie nie zdradzi! Nigdy! Nie wiesz, co jej robił taki jeden bandzior, jeszcze tam, w Polsce, gdy musiała się ukrywać.

– Nie wiem i nie chcę wiedzieć. Mam za to świadomość,

do czego jest zdolny psychopata pokroju Zadry. Szczególnie tak bezkarny i okrutny jak on.

Nie było dyskusji.

Samochód Kima już czekał pod domem.

Do świtu było jeszcze ze dwie godziny. Naprawdę ostatnia chwila, żeby wywieźć stąd bezpiecznie Karlinga.

– No, dawaj, kolego. – Wiktor zarzucił sobie jego ramię
na kark i postawił mężczyznę na nogi. – Dżizas, Hubert,
stań o własnych siłach! Co ty, dziecko jesteś?! – Zbulwersowany chciał potrząsnąć mężczyzną i wtedy jego wzrok
padł na udo tamtego, mokre od krwi. – Jeeezu, tutaj też?
Czemu, głąbie, nic nie powiedziałeś?!

– Kazałeś Kimowi się pospieszyć, a to drobiazg.

– Serio?! Drobiazg, od którego mdlejesz?!

– Nie mdleję – wydusił Karling przez zaciśnięte zęby. –
Noga się pode mną ugięła.

– I bardzo dobrze, bo dostałbyś po pysku! Trudno,
idziemy. Kim Yoo Sin zszyje ci tę ranę w domu. Może znajdzie coś lepszego niż szydło i dratwa…

Ruszyli mozolnie do wyjścia, znacząc każdy krok śladem krwi. Doprawdy, lepszego podpisu „Tu byłem. Hubert
Karling” nie mogli zostawić.

Zadra wskoczył do samochodu, ruszył z piskiem
opon spod ruin hotelu, w którym ukrywał swój mały
sekret, po czym jeszcze dodał gazu.

Czuł, że musi się spieszyć! Niebo na horyzoncie zaczynało się srebrzyć, a przecież to noc jest porą przestępców, nie ranek. Jeśli Karling ma się dokądś przenosić, to wtedy, gdy jego facjatę kryje ciemność!

Danka wprawdzie przyrzekała, że tamten opuścił kryjówkę, zostawił list pożegnalny i wybył w nieznanym kierunku, ale mogła Zadrę w ostatecznej desperacji ołgać.

Mogła?

Pokręcił głową i odrobinę zwolnił. Waterboarding wydusza z delikwenta prawdę, całą prawdę i tylko prawdę. Może najtwardsi i po treningu są w stanie opanować panikę, jaka ogarnia tonącego człowieka, ale nie pani lekarka przecież, choćby nie wiem, jak była zakochana w swoim bandycie.

Na końcu drogi zamajaczył dom Helerta. O, bękart niemyty też oberwie za swoje. Ukrywać poszukiwanego bandziora? Tuż pod nosem Zadry? I łgać w żywe oczy, że niby małżeństwo Duńczyków?

Nagle Zadra nacisnął hamulec. Fiat zatańczył na drodze i wpadł na pobocze.

„A co, jeśli ten chujek – miał na myśli Wiktora – przehandlował moją spluwę Karlingowi?!".

Do tej pory Zadra był pewien, że to Helert podpieprzył mu glocka i zatrzymał dla siebie. Mieszkając jednak w Mangalii od dwóch lat, miał okazję zdobyć własną broń. Po co by mu była kradziona, służbowa zabawka?

Hubert Karling to zupełnie co innego. To bydlę i tak było wyjęte spod prawa. Jeden paragraf więcej, jeden mniej komuś, kto właściwie już był trupem, nie robił przecież różnicy.

– Jesteś uzbrojony, kurwisynu – syknął Zadra. – I umiesz strzelać. A ja...? Mnie pierdolony Helert rozbroił i wystawił na strzał. Policzę się i z tobą, Wikuś, masz to jak w banku.

Wysiadł z samochodu i ruszył na piechotę. Mając wroga w lepszej sytuacji, niż sam jesteś, trzeba najpierw zrobić porządne rozpoznanie. Nic na hurra. Trzeba się przyjrzeć domowi, załatwić jakąś spluwę i dopiero wtedy porywać się na chodzące dwa miliony.

Albo... zwabić je do siebie. Na wcześniej przygotowane terytorium.

Czy Hubert Karling długo się będzie wahał nad przyjęciem zaproszenia, gdy dostanie w ozdobnej kopercie palec ukochanej? A oko?

ROZDZIAŁ XV

Spod domu właśnie ruszał samochód. Stare, obdrapane volvo. Zadra zanotował w pamięci numer rejestracyjny, ukrył się w krzakach i rozpoczął obserwację. Rudera wyglądała na opuszczoną. Światła na wszystkich piętrach były wygaszone. Ciekawe, czy Helert wyszedł z więzienia, czy nadal w nim gnije? Jeśli to drugie, kto odjechał spod jego domu? Dankę przetrzymywał on, Zadra. Właściciel po czynsz przychodzi w dzień, niekoniecznie o piątej rano. Goście…? To możliwe. Helert był niezłym ogierem, dziewczyny lgnęły do niego jak pszczoły do miodu. Mógł sobie jakąś przygruchać na noc.

Ostrożnie wyszedł z krzaków i ruszył do drzwi. Nagle stanął jak wryty. Uklęknął i dotknął palcami granitowego bruku, jakim wyłożony był podjazd. Podniósł opuszki do oczu i… uśmiechnął się szeroko. Gość, który przed chwilą odjechał starym volvo, krwawił. Krew była świeża.

Może to Wiktor zaciął się przy goleniu i pognał do szpitala tamować krwotok? Jednak samochód nie był jego. Opel stał jak gdyby nigdy nic pod domem.

Może więc Helert urządził u siebie powitalne przyjęcie? Bądź co bądź wyszedł z pierdla. Poprztykali się po pijaku, któryś wyciągnął nóż i nieszczęście gotowe. Zadra mógł snuć podobne teorie w nieskończoność. Wolał jednak zejść do piwnicy, dokąd prowadziły ślady krwi, pchnąć drzwiczki pieca i trafić do miejsca, w którym ukrywali się Karling z Danką. Dokładnie tak, jak opisała to podczas „kąpieli". Dotknął koca, jakim zasłany był barłóg. I tu plama krwi była świeża.

Dwa miliony może i w ostatniej chwili wymknęły się z kryjówki, ale Zadra miał je na celowniku. Nikt ani nic nie mogło już stanąć między nim a jego ofiarą. Trzeba to umiejętnie rozegrać. Karling musi przyjść sam, bez obstawy, do opuszczonego hotelu. Tam dopiero Zadra zabawi się i z Hubertem, i z Danką.

– I co teraz? Jaki jest plan? – Karling, jeszcze blady po mało przyjemnym zabiegu, uniósł się z wysiłkiem na łokciu i spojrzał pytająco najpierw na Wiktora, potem na Kim Yoo Sina, który mył ręce nad zlewem w swoim małym, zagraconym mieszkanku.

Koreańczyk odwrócił się i teraz obaj patrzyli wyczekująco na Helerta.

Ten wzruszył ramionami. Przez cały ten czas, gdy Koreańczyk szył ranę od noża na udzie Karlinga, myślał intensywnie, jak dorwać Zadrę. I uratować Dankę.

Nie miał pewności, że kobieta wpadła w łapy tamtemu bandycie. Mogła być gdziekolwiek: w szpitalu, w areszcie, w pociągu do Konstancy... Jednak coś mu podpowiadało, że za jej zniknięciem stoi właśnie Zadra.

– Wszystko po kolei – odezwał się, bo tamci dwaj najwyraźniej oczekiwali odpowiedzi. A najlepiej planu działania. – Na tę chwilę mogę wam co najwyżej zapodać plan lekcji pobliskiej podstawówki. O ile potrafię się włamać na szkolny serwer.

Właśnie! – w tym momencie go olśniło. Przecież był hakerem! A w sieci można znaleźć wszystkie odpowiedzi, o ile zadasz właściwe pytanie.

– Kim... – zwrócił się do Koreańczyka, czując w palcach przyjemne mrowienie. Domagały się klawiatury! – Masz tu jakiś dobry, szybki komputer?

Starszy człowiek pokiwał energicznie głową i po chwili z dumą stawiał na stole wielkiego srebrnego laptopa. Przy czym był on tych rozmiarów nie ze względu na pojemność dysku twardego, a na wiek. Komputer pamiętał chyba czasy wojny koreańskiej. Może stamtąd Kim przytachał go do Rumunii? Wiktor wiedział jedno: na nic mu się ten rzęch nie przyda.

Mimo to odpalił go, chwilę poklikał, zatrzasnął pokrywę i rzekł, żeby nie urazić przyjaciela:

– Dobry sprzęt, ale niekompatybilny. Muszę skombinować coś innego.

– Wiesz, że trzeba się spieszyć? – rzekł Karling.

– Serio? – prychnął.

– Danka jest w rękach bandyty. Mordercy. Sam tak mówiłeś. On w każdej chwili…

– Hubert, wiem, co mówiłem, bo może dostałem kulę w łeb i fakt, wykasowało mi pamięć długotrwałą, ale sklerozy jeszcze nie mam. Pamiętam, co mówiłem o Zadrze i wiem, że nie mamy czasu do stracenia. Potrzebuję laptopa nie po to, by rżnąć w gierki, a po to, by Zadrę odnaleźć. Gdy to mi się uda, spróbuję zastawić na niego pułapkę.

– Od pułapki lepsze będzie to. – Karling rzucił mu glocka, który leżał dotąd grzecznie na szafce przy łóżku.

Wiktor złapał broń wcale fachowo, po czym bez większych wahań wcisnął ją za pasek spodni.

– Zdobędziesz podobnego dla mnie? – Hubert chciał wiedzieć jeszcze tylko to, zanim całkiem złoży go gorączka.

– Kim Yoo Sina pytaj. Ja nie mam tu takich kontaktów.

Klepnął przyjaciela w ramię i wyszedł, czując chęć do działania.

Biegiem przebył kilka przecznic dzielących postsowiecki blok od domu przy plaży. W świetle dnia ślady krwi były tak wyraźne, że Wiktor aż zaklął.

Chwycił szlauch i dokładnie spłukał podjazd. Tak, Karling miał rację, trzeba się spieszyć, ale takich błędów nie wolno im popełniać. Mogą się ponuro zemścić.

Zbiegł do piwnicy. Wpadł do pomieszczenia za piecem i zgarnął wszystko, co mogło wskazywać na ukrywanie się tu Danki i Huberta. Zakrwawiony koc także. Potem wypucował podłogę i piwniczny korytarz.

Zadowolony podniósł się z kolan. Bez specjalistycznego sprzętu i preparatów nikt nie wpadnie na ślad zbiegów. Czy raczej nikt nie wpadłby, gdyby Wiktor podziałał dwie godziny wcześniej. Teraz było na wszystko za późno, ale on nie mógł przecież tego wiedzieć.

Za resztki renty kupił w miarę porządny laptop, przy czym marka nie miała znaczenia, liczyła się pojemność dysku twardego i szybkość procesora. I... mógł brać się do roboty.

Usiadł przy stole, uniósł dłonie nad klawiaturą. Co teraz? Liczy się właściwie zadane pytanie, a on właśnie tego nie wiedział. Nie wpisze przecież do wyszukiwarki „Gdzie jest Jan Zadra?". A może wpisze? Od czegoś trzeba zacząć.

Wujek Google nie sypnął wprawdzie informacjami na temat bandyty, jednak mózg mężczyzny przestawił się na inny stan świadomości, hakerski stan, a dłonie zaczęły żyć własnym życiem. Wiktor stał się jedynie dodatkiem do klawiatury.

Włam na serwery policji? *No problem.* Ale też zero rezultatów. Zadra nie był tu notowany. Włam na serwery wojska? To trwało nieco dłużej. I też nie przyniosło niczego ciekawego. Wiktor opadł na oparcie krzesła, splótł ręce na karku i, wbijając niewidzące spojrzenie w brudny sufit, zastanawiał się długie minuty, gdzie szukać gada.

Monitoring miejski!

O ile Mangalia takowy posiada…

Palce podjęły swój taniec i nagle… Alleluja! Nie dość, że miasto było pokryte siecią kamer, to system zmodernizowano całkiem niedawno. Sieć była gęsta, sprzęt nowy, obraz więcej niż zadowalający. Czy jednak z czterdziestu tysięcy mieszkańców Helert jest w stanie wyłuskać tego, kogo szuka?

Przekonajmy się.

Z darknetu – skąd on, na miłość boską, zna takie miejsca?! – ściągnął pewien przydatny program, z serwera polskiej policji zdjęcie Zadry, tutaj to bydlę było notowane, i wreszcie mógł zarzucić sieci.

Podczas gdy pracowity Acer skanował system w poszukiwaniu zakapiorowatej twarzy bandziora, Wiktor przeszedł do kuchni zrobić sobie kawę. Zasłużył.

Wyszedł potem na balkon z kubkiem w dłoni, puścił oczko do nastoletniej piękności, która właśnie rozkładała na piasku ręcznik plażowy i zapatrzył się na morskie fale, łagodnie liżące brzeg. Miał wrażenie, że coś mu umyka. Coś przeoczył. Niepokojące wrażenie. Może należałoby przeszukać zasoby firm wynajmujących samochody? Włamać się na serwery banków i zdobyć dane o wypłatach z bankomatów?

Obejrzał się przez ramię na pracujący komputer. Mógłby zrobić to teraz, ale spowolniłby pracę laptopa. Skanowanie miejskiego monitoringu wydało mu się bardziej logiczne i efektywne. Co jeszcze mógłby zdziałać?

Pokręcił sfrustrowany głową.

Słońce zaczęło chylić się za horyzontem. Nad Mangalią powoli zapadał wieczór.

Wieczór?! Przecież Wiktor zaczął pracę późnym rankiem! Rzeczywiście ślęczał nad laptopem cały dzień?

Owszem.

I podczas gdy on pracowicie namierzał przez cały boży dzień Jana Zadrę, ten równie pracowicie namierzał Huberta Karlinga.

Zaczął od telefonu do Polski.

– Możecie zidentyfikować numer rejestracyjny pewnego rzęcha? Nie, nie tutejszy. Rumuński. Wszystko, co znajdziecie. Imię i nazwisko właściciela. Adres… Po co mi to? Po gówno. Działaj, nie płacą ci za takie pytania.

Był coraz bliżej swoich dwóch milionów i głaz, który miał w miejscu serca, bardzo mu się z tego powodu radował. Teraz jeszcze wypad na miejski bazar, gdzie podpyta o niegrzecznych chłopców, zakup jakiegoś gnata, bo przecież nie stanie twarzą w twarz z zabójcą Prezydenta nieuzbrojony i... na co wydamy, Jasiu, te pieniądze?

ROZDZIAŁ XVI

Mało nie oszalała z przerażenia, próbując uwolnić usta i nos. Im bardziej się szarpała, im głębiej próbowała odetchnąć, tym folia ściślej przylegała do ust, po prostu ją dusząc. Gdy wreszcie zrzuciła plastik z twarzy, długie minuty nie mogła się uspokoić. Na przemian krzyczała i zanosiła się szlochem. Łzy płynęły niepowstrzymanym strumieniem. Drapała deski, do których ją przywiązał. Szarpała więzy.

To przerastało wytrzymałość kobiety. Przerastało każdego.

Gdy Zadra znęcał się nad nią, gwałcił tym, co miał pod ręką, też krzyczała, o ile jej nie zakneblował. Wtedy jęczała tylko, wbijając zęby w cuchnącą, zaślinioną szmatę. Gdy bił ją, przypalał papierosem czy grzałką do wody, mdlała z bólu, tak. Ale to nadal był tylko ból. A Danka była gotowa znieść wiele, żeby chronić Huberta.

Powtarzała sobie, że dopóki Zadra, ten bandzior, ten sadysta, zajęty jest nią i nie ma czasu na poszukiwania, Hubert jest bezpieczny. Dlatego trzymała się. Naprawdę. Wyła z bólu, ale nie zdradziła ani słowem, gdzie się ukrywali przez ostatnie dni. Zadra zaś... zdawał się tym mało zainteresowany. Bardziej kręciły go sadystyczne zabawy. Czerpał prawdziwą przyjemność z dręczenia bezbronnej kobiety.

A ona trzymała się.

Aż do chwili, gdy przywiązał ją do drzwi położonych na podłodze tak, że nogi miała wyżej, głowę niżej i... W pierwszym momencie myślała, że w taki teraz sposób bandzior będzie zaspokajał swoje parszywe żądze. Że to jakaś nowa metoda gwałtu. Gdy przyniósł wiadro z wodą i uśmiechnął się wrednie, przyglądając się Dance tak jakoś dziwnie, zmrużonymi oczami... zaczęła się naprawdę bać. I jeszcze nie wierzyła w to, co podsuwał jej coraz bardziej spanikowany umysł.

Na ból była przygotowana.

Na waterboarding, torturę wodną, nie.

Nikt nie jest.

Teraz leżała, próbując się uspokoić. Ciało trzęsło się z szoku i przerażenia. Mózg odmawiał posłuszeństwa. Nie chciał myśleć. Chciał wyłączyć się raz na zawsze. Oszaleć. Ale to nie było takie proste.

Mijały minuty i godziny.

Powoli, bardzo powoli panika zmieniała się w odrętwienie.

Może tamten już nie wróci? Schwyta Huberta – wybacz, kochany, że cię zdradziłam, ale naprawdę nie potrafiłam tego znieść... naprawdę... – a jej da spokój? W kilka dni będzie po wszystkim. Ona umrze i... będzie po wszystkim.

A jeśli nie?

Jeżeli psychopata wróci i... znów się zacznie?

„Przestań! Dopóki możesz myśleć, myśl! Działaj!".

Uniosła głowę i rozejrzała się.

Pomieszczenie, w którym ją przetrzymywał, znajdowało się na parterze opuszczonego budynku. Ściany, sufit, podłoga – wszystko było z betonu. Okna, zabite deskami, przepuszczały do środka niewiele światła. Pod jedną ze ścian Zadra ułożył materac. Tam spał. Przy stole, ustawionym pod oknem, napychał się mielonką z puszki. Dance nie podał jedzenia ani razu. Szkoda mu było. Nie będzie przecież karmił trupa, a w jego oczach kobieta już takim trupem była. Jeszcze żyje, ale jej godziny są policzone.

Gdy prosiła chociaż o wodę... tak, wreszcie ją napoił. Napoił tak, że do końca życia, krótkiego pewnie, będzie miała wodowstręt.

Załatwiał się – i ją prowadził w tym celu – do innego pomieszczenia. Smród, jaki w nim panował, odbierał zmysły, ale brzydkie zapachy były jej ostatnim zmartwieniem. Przez ostatnie dni myślała tylko o jednym: zabić się. Umrzeć z ręki Zadry albo własnej, wszystko jedno, byle się to wreszcie skończyło. Ból i przerażenie. A teraz tortury. Niech Bóg się w końcu nad nią zlituje i ześle śmierć.

Poruszyła ręką.

Zadra przywiązał ją do drzwi, ale sznur, nasiąknięty wodą, nieco się obluzował. Spróbowała raz jeszcze i... jej oczy zogromniały. Czy to przez przeoczenie, czy bezczelną pewność siebie, bandzior zostawił na krześle krótki nożyk do tapet, którym przycinał sznur.

Jeśli Danka obluzuje pęta na prawej ręce...

Parę godzin jej to zajęło, ale wreszcie była w stanie dosięgnąć nożyka. Koniuszkami palców przysunęła go do siebie i oto miała niewielki przedmiot w dłoni. Co zrobi z tym darem od losu? Na pewno będzie musiała się go pozbyć. Zadra nie może nabrać podejrzeń, że ona coś kombinuje. Zniknięcie nożyka zauważyłby na sto procent.

Wysunęła ostrze i odłamała tuż przy nasadzie, a potem ukryła bezcenne pięć centymetrów stali w staniku. Brudnym i cuchnącym jak ona cała. Ani razu nie pozwolił się jej, bandzior, umyć.

Odrzuciła nożyk na miejsce, wsunęła rękę z powrotem w pęta i... odetchnęła z ulgą. Jeszcze nie teraz. Tamten lada chwila może wrócić. Ale gdy bydlę zaśnie...

– Jak tam moja zabaweczka? – Przywitał ją radosnymi słowami, stanął nad kobietą i przez chwilę mierzył ją uważnym spojrzeniem. Uśmieszek zgasł. – Próbowałaś się uwolnić, co, kurwo? – Docisnął sznur na jej nadgarstku, zanim zdążyła wykrztusić, że skąd! Niczego nie próbowała!

On jednak nie potrzebował jej zapewnień czy zaprzeczeń.

Przysunął bliżej krzesło oparciem w jej stronę, siadł, jak to miał w zwyczaju, w rozkroku i zaczął ni to do niej, ni do siebie:

– Znalazłem twojego Karlinga. Tak, tak, przecież sama go zdradziłaś. Dzięki tobie wpadłem na jego trop. Tylko widzisz… nie chcę się dzielić wygraną z rumuńską policją. Z polską też nie. Zaproszę więc Huberta tutaj, do naszego gniazdka i zmuszę, to jest – zmusimy go oboje, do uległości. Sprawimy, że Karling sam się zakuje w kajdanki i wyrzuci kluczyk. Co ty na to?

Patrzył na pobladłą, drżącą kobietę i nie liczył na odpowiedź.

– Pozostała sprawa nakłonienia twojego kochasia do odwiedzin. Masz pomysł, jak sformułować zaproszenie, by przyszedł sam? Bez obstawy w osobie Wiktora czy tego małego, śmiesznego Chińczyka, u którego go ukryli?

Danka pokręciła głową.

„Przepraszam, Hubert. Wybacz, kochany", błagała go w myślach. „Ja naprawdę nie byłam w stanie tego znieść. Naprawdę…", płakała bezgłośnie.

– A ja mam pewien pomysł. – Uśmiechnął się szerzej i rozejrzał za nożykiem, który Danka godzinę wcześniej miała w dłoni. Otworzyła usta do krzyku, gdy podetknął jej ostrze pod oczy, ale nie wydała żadnego dźwięku. Jakaś część jej jaźni podpowiadała, że na krzyk przyjdzie jeszcze pora.

Nie myliła się.

– Widzisz, myślałem, żeby podesłać Karlingowi twoją obrączkę – zaczął Zadra, łagodnie ujmując lewą dłoń kobiety. – Ale to mogłoby go nie przekonać tak dobitnie, jak twój palec z obrączką.

Danka zaczęła krzyczeć.

ROZDZIAŁ XVII

—◆◆◆—

– Hej, panie Kim, przesyłkę mam! – Kurier załomotał do drzwi mieszkania na ostatnim piętrze ponurego bloku. – Zaadresowana tutaj. Otworzysz pan?

Starszy człowiek uchylił drzwi i wyjrzał ostrożnie na korytarz. Poznał chłopaka, który czasem przynosił mu zakupy i zdjął łańcuch.

– Zobacz, panie Kim, przesyłka jest na ten adres, ale nazwisko inne. „Karling", tak tu pisze. Znasz pan takiego?

Koreańczyk poważnie skinął głową. Podpisał tam, gdzie wskazał chłopak, odebrał niewielką paczuszkę, podziękował i wrócił do pokoju.

Usiadł przy stole, położył pudełko pośrodku blatu i zaczął medytować.

Kto, oprócz Wiktora rzecz jasna, wiedział, że Hubert jest tutaj?

Odpowiedź brzmiała: nikt. Przynajmniej tak powinna brzmieć. A jednak Karling dostał od nieznanego nadawcy... prezent. Rzucił krótkie spojrzenie śpiącemu mężczyźnie. Podszedł do łóżka i położył dłoń na czole rannego. Gorączka nieco spadła. To dobrze. Biedak musi mieć dużo sił, by stanąć do walki z losem. I z Zadrą.

Czy to możliwe, że właśnie on nadał tę paczkę? Jeśli tak, to co jest w środku?

Kim Yoo Sin podniósł pudełko do ucha i potrząsnął nim delikatnie. Nic.

Może ukryć przesyłkę? Nie oddawać jej adresatowi?

Pokręcił głową. I natknął się na pytający wzrok Karlinga.

– Przyszło przed chwilą. – Uniósł pudełeczko. – Do ciebie.

– Do mnie? – Mężczyzna usiadł, krzywiąc się z bólu. Obie rany, ta na boku i druga, na udzie, dawały się we znaki. Wyciągnął nagląco dłoń, a potem obracał niewielki pakunek w rękach, przyglądając się mu podejrzliwie. – Od kogo? Przecież nikt nie wie, że tu jestem. Tylko Wiktor, ale on nie przysyłałby prezentów.

Rozerwał papier, którym pudełko było owinięte i... wciągnął powietrze.

„Rozpakujesz sam", napisane było po polsku. „Nikt nie może wiedzieć, co jest w środku, a twoja Danuśka będzie żyć".

Poderwał głowę, ledwo oddychając z przerażenia. Kim przyglądał mu się, zaniepokojony. Zaczął się domyślać, co zawiera „prezent".

– Ja muszę... do toalety – wydusił Karling, poderwał się z łóżka, pieprzyć jakieś tam rany!, i po chwili siadał na brzegu wanny, rozrywał trzęsącymi się dłońmi następną warstwę papieru.

Gdy uchylił wieczko ozdobnego, przewiązanego złotą wstążką pudełka i na białym, zakrwawionym aksamicie ujrzał palec z obrączką, wbił pięść między zęby i zaczął jęczeć, kiwając się w przód i w tył...

Wyszedł po długim czasie. Jeszcze blady, ale już spokojny.

Instrukcji nauczył się na pamięć. Spuścił karteluszek w kiblu. Pudełko ukrył w kieszeni spodni. Nikt nie może go znaleźć! Jeśli Wiktor domyśliłby się, co zawiera, próbowałby powstrzymać Karlinga albo chociaż wpieprzyć się w plan tego, który pisał: „Przyjdziesz sam. Jeśli zobaczę, że jest z tobą Wiktor, Chińczyk, albo ktokolwiek inny, ona zginie".

Kim Yoo Sin posłał mu trochę pytające, a trochę zmartwione spojrzenie.

– Zła wieść? – rzekł, byle coś powiedzieć.

Jeszcze przed chwilą Karling, chociaż ranny, wyczerpany i przerażony brakiem wiadomości o Dance, miał w oczach życie. Miał nadzieję. Teraz patrzył na przyjaciela martwymi dziurami, wypełnionymi jedynie cierpieniem i rozpaczą.

Wrócił do łóżka, położył się na wznak i zakrył twarz przedramieniem, by starszy człowiek nie widział łez, jakie zapiekły pod powiekami.

„Trzymaj się, Danuśka", prosił w myślach ukochaną kobietę. „Nie poddawaj się. Przyjdę po ciebie. Za ciebie. Dostanie skurwysyn swoją dolę. Musisz się trzymać, słyszysz? Chociaż ty musisz wyjść z tego piekła…".

Poczuł na ramieniu delikatny uścisk. To przyjaciel dawał mu znać, że Hubert nie jest sam w tej czarnej godzinie.

– Jesteśmy z tobą – powiedział cicho.

Ale Hubert pokręcił tylko głową.

Rozkazy były jasne.

Jutro o piątej nad ranem stawi się w opuszczonym hotelu. On jeden. Nieuzbrojony oczywiście. W samych szortach i koszulce-bokserce, by nigdzie nie mógł ukryć glocka czy choćby noża. Jeśli cokolwiek wzbudzi podejrzenia – Danka umrze. Jeśli oprócz Karlinga pojawi się ktoś jeszcze – Danka umrze. Jeśli Hubert nie wykona któregokolwiek polecenia – Danka dostanie kulę w łeb. On w następnej kolejności.

Jasne?

Jasne.

Nie zamierzał ryzykować. Dlatego też nie zdradzi przyjaciołom słowem, co znajdowało się w przesyłce, ani czego zażądał Zadra.

– Masz przyjaciół – znów ten cichy głos. – Hubert, nie jesteś sam.

Przecież on i Wiktor zrobią wszystko, by mu pomóc. By IM pomóc.

Czy rzeczywiście?

– Kurrrwa! – ryknął Helert i zatrzasnął laptop, a potem jeszcze strzelił w pokrywę otwartą dłonią, doprowadzony do ostateczności. Czy raczej do muru. – Gdzie jesteś, mendo niemyta?!

Poderwał się z miejsca przy biurku i pieprznął pistoletem, leżącym dotąd pośrodku stołu, w przeciwległą ścianę.

Przez cały dzień komputer przerzucał miliony zrzutów z kamer miejskiego monitoringu w poszukiwaniu Jana Zadry. Bez rezultatu. Wiktor wprowadzał różne algorytmy. Podpowiadał maszynie, czego ma szukać. Wypożyczalnie samochodów, stacje paliw, bazar miejski, centra handlowe.

– W morrrdę, gdzieś ten łachudra musiał się pojawić!

I Zadra, owszem, wychodził z opuszczonego hotelu – którego haker, bez punktu zaczepienia, nie mógł znaleźć – ale tylko do samochodu. Jechał potem do Konstancy i tam robił zakupy czy załatwiał wszystkie ciemne sprawki. Stamtąd przywiózł ślicznego, nowiutkiego sig sauera, który kosztował małą fortunę, ale był wart każdego centa. Był ostrożny, bo wiedział, że ma do czynienia ze świetnym hakerem, przy którym ten z Firmy to mały pikuś. Helert przez wiele lat sprzedawał swój talent mafii, a gangsterzy nie płacą za byle co. I nie wybaczają błędów. Wiktor w hakerce musiał być jeśli nie genialny, to chociaż świetny – i zapewne taki był. Zadra nie chciał na własnej skórze sprawdzać jego umiejętności, dlatego był ostrożny. Bardzo ostrożny.

Boczne ulice, szczególnie te na peryferiach Mangalii, a przy takiej stał dom Helerta i opuszczony hotel, nie były monitorowane, mimo to Zadra wolał się trzymać od nich z daleka.

Przed Wiktorem stało naprawdę trudne zadanie.

Gdyby miał czas, zmieniałby algorytmy do skutku. Rozszerzał zakres poszukiwań. Ale tego czasu zaczynało brakować! Był pewien, że tamten sukinsyn coś kombinuje, że Danka nie jest bezpieczna. Przed paniką powstrzymywała go jedynie świadomość, że Karling wciąż pozostaje w ukryciu, a Zadrze marzyła się pewnie nagroda. Dopóki więc Hubert żyje, jest nadzieja i dla jego żony.

Przeszedł do łazienki, chlusnął sobie w twarz lodowatą wodą, spojrzał w lustro i rzekł do swojego odbicia:

– Nie panikuj, człowieku. Bierz się do roboty. Twoje „kurrrwa" i „w morrrdę" naprawdę niczego nie zmienią.

Usiadł przy biurku, przeprosił się z laptopem i otworzył zhakowany na darknecie program.

– Skoro nie możesz go, sieroto, znaleźć w Mangalii, poszukajmy gdzie indziej. Konstanca?

Brzmiało nieźle.

Palce hakera zatańczyły na klawiaturze, ekran rozjaśnił się rzędami znaków. Wiktor stuknął ENTER i opadł na oparcie fotela z rękami splecionymi na karku, nie spuszczając wzroku z laptopa. Ten przyjął polecenie i zaczął przerzucać z szybkością, której ludzki mózg nie ogarniał, skany z terenu Konstancy.

Przed Wiktorem była długa noc...

Pukanie do drzwi przerwało mu obserwację ekranu, na którym w szaleńczym tempie pojawiały się i znikały zrzuty z kamer.

Podniósł się niechętnie, chociaż dyskowi laptopa naprawdę nie był do niczego potrzebny i po chwili otwierał drzwi przed swoim koreańskim mistrzem i przyjacielem. Ukłonili się sobie, a potem objęli w krótkim uścisku.

– Coś się stało? – Wiktor zbyt długo znał starszego człowieka, by ten mógł ukryć przed nim zmartwienie.

– Widzisz, Bigtoleu, przyszedł do mnie przesyłka. To znaczy do mnie, ale do Hubert.

– Jakim cudem…? – Wiktor uniósł brwi ze zdumienia. – Przecież nikt nie wie…

– Już wie.

Dwa krótkie słowa. A zabrzmiały jak strzał z pistoletu.

Wiktor patrzył długą chwilę na przyjaciela, próbując oswoić się z tą porażającą informacją.

– S-skąd? Jak? – wyjąkał, ale Koreańczyk pokręcił głową. – Musieliśmy popełnić błąd. Może Zadra widział, jak go stąd wyprowadzamy?

Tak. Było to możliwe. A za ich nieuważność ktoś zapłaci życiem…

– Masz coś, Bigtoleu? Cokolwiek? – W głosie starszego mężczyzny zabrzmiała nadzieja, ale Helert musiał ją zgasić:

– Nic. Dobrze się ukrył, skurwiel. Nie mam nawet pewności, że wciąż jest w Mangalii. Zacząłem przeczesywać Konstancę.

Kim Yoo Sin pokiwał głową.

– Oddałeś Hubertowi tę przesyłkę? – zapytał Wiktor po chwili milczenia.

– Ja musiałem.

– Co w niej było? Och, mówże, człowieku, wszystko, co wiesz! Trzeba cię ciągnąć za język?

– Za co ciągnąć?

– Nieważne. Co było w środku?

Koreańczyk wzruszył ramionami.

– Nie wiem. Hubert otworzył sam i wrócił do pokoju bardzo niepokojony. Bardzo. Od razu do łóżka iść i już nie wstać od tamtej pory. Zupełnie jakby nie mieć woli życia.

Helert zmrużył lekko oczy.

– Pewnie przysłali mu coś, co zmusi go do pojawienia się w miejscu, skąd będą mogli go spokojnie zdjąć. Nie rozumiem jednego: AT rzadko waha się w takich chwilach. Wjechaliby ci na chatę o każdej porze dnia i nocy, gdyby tylko przypuszczali, mieli najmniejsze podejrzenia, że ukrywasz poszukiwanego przez Interpol przestępcę. Mordercę, gotowego na wszystko.

– Z tego wniosek taki, że to nie AT.

Wiktor musiał się z tym zgodzić.

– Prywatna inicjatywa Jana Zadry – mruknął do siebie. – Co możemy zrobić? Karling prosił o pomoc? Wspomniał choć słowem, czego chcą?

Kim zaprzeczył.

– Będziemy go śledzić? – pytał dalej. – Musimy mieć jakiś kontrplan, jeśli chcemy uratować mu dupę! Co on sobie myśli, że po tym wszystkim pozwolimy mu ot tak wystawić się na strzał?! Pójdzie sam na spotkanie z uzbrojonym bandytą, bo ten tak chce?

To właśnie Karling zamierzał uczynić.

Więcej: to właśnie robił w tej chwili. Narzucał na bokserkę kurtkę, na szorty długie spodnie, bo noc, którą spędzi ukryty gdzieś na dworze, będzie długa i chłodna. Potem nakreślił do Wiktora i Kim Yoo Sina parę słów pożegnania i chwilę później ruszał ciemną ulicą na południe, w kierunku przedmieść.

Jeśli ktokolwiek czy cokolwiek go nie zatrzyma, będzie po nim...

ROZDZIAŁ XVIII

Nie była już istotą ludzką. Nie była już nawet istotą. Jan Zadra złamał niegdyś dumną, silną Dankę Rawit i uczynił z niej przedmiot. Rzecz, której się używa, ale o którą się nie dba.

Danka skończyła medycynę, miała zajęcia z psychiatrii, uczyła się o osobowości psychopatycznej i, dostawszy się w łapy Zadry, wiedziała, czego może się spodziewać. Jednak co innego teoria, co innego spotkać się z bestią twarzą w twarz. Co innego poczytać w podręczniku o psychopatycznych zachowaniach – i metodach radzenia sobie z takim pacjentem – co innego stać się zabawką w łapach sadysty, który może wszystko i do wszystkiego jest zdolny. Którego nie ograniczają żadne zasady, nie ma sumienia, nie możesz apelować do jego ludzkich uczuć, zastraszyć go, przekupić ani ubłagać.

Była całkowicie bezbronna.

A on miał tego pełną świadomość.

Używał jej więc jak taniego przedmiotu, który w każdej chwili bez żalu można zniszczyć. Znęcał się nad nią, jak tylko spaczony mózg sobie umyślił, a potem zostawiał w spokoju do następnego razu. Jedynie nie topił Danki po raz drugi. Nie było to potrzebne. Stała się tak uległa, iż wystarczyło, że ostrzegawczo uniósł butelkę, a kobieta już zaczynała skomleć o litość i zapewniać, że zrobi wszystko, czego on zapragnie. Więc robiła. Jeśli nawet przeszło mu przez myśl, że można by powtórzyć zabawę w podtapianie, rozsądek podpowiadał, że Danka drugiego waterboardingu mogłaby nie wytrzymać, po prostu siadłoby jej serce, a była mu potrzebna żywa.

– Twój kochaś będzie tu za pięć godzin – odezwał się, podchodząc do kobiety.

Przykucnął, by mieć twarz przywiązanej do krzesła kobiety na wysokości oczu i zajrzał ciekawie w jej zgaszone źrenice. Nie zareagowała, obojętna na wszystko. Godzinę wcześniej krzywdził ją w tak podły sposób, że odpłynęła daleko, by dotrwać do końca „zabawy".

– Mówię do ciebie, dziwko! – Pacnął ją wierzchem dłoni w twarz.

Uniosła na niego udręczone spojrzenie.

„Niech już będzie to pięć godzin", pomodliła się w duchu do nieczułego Boga. „Niech to się wreszcie skończy".

– Ty masz tylko siedzieć i robić dobre wrażenie – pouczył ją, nie doczekawszy się odpowiedzi. – Karling wejdzie do środka przez te drzwi, posłusznie pozwoli się skuć i oboje będziecie czekać na służby, które się wami troskliwie zaopiekują. Tak, byście dotrwali końca uczciwego procesu – zarechotał. – No i wyroku. Mam nadzieję, że skurwiel dostanie dożywocie. A ty, kochanie? Liczysz na pięć latek w sanatorium, jakim wyda ci się więzienie po naszym gniazdku? – Rozejrzał się po ciemnym pomieszczeniu, oświetlanym jedną żarówką. – A może... oddam im Karlinga, a ciebie zatrzymam jeszcze trochę, co ty na to, Danuśka? Nikt przecież nie wie, gdzie cię przetrzymuję i że w ogóle jesteśmy razem. Chciałabyś zostać ze mną na dłużej?

„Boże, błagam...!", załkała w duchu. Z jednego oka, bo drugie miała tak spuchnięte, że powieka nie uchylała się ani na milimetr, spłynęła łza. Potoczyła się po policzku i skapnęła na posiniaczone, nagie udo nieszczęsnej. „Błagam, pozwól mi umrzeć!".

– Chcesz czy nie?! – wrzasnął nagle, chwycił ją pełną garścią za włosy i szarpnął w tył.

Szczęknął nóż sprężynowy. Lśniące ostrze zostawiło na krtani kobiety czerwoną pręgę. „Ale by się chciało mocniej pociągnąć", Zadra aż mlasnął. „Jeszcze nie teraz. Ale tak właśnie skończymy zabawę...".

Odepchnął ją od siebie i wstał.

– Mam jeszcze jeden pomysł, który raczej ci się nie spodoba... – zaczął takim tonem, że Dance mimo wszystko włosy stanęły dęba. – Mogę Karlinga przykuć do kaloryfera – wskazał pod okno – a potem zabawiać się wami na przemian. Raz tobą, raz nim. Tak, żebyście na to patrzyli. Ciebie zerżnę, jego potnę... Co ty na to, Danuśka?

Zacisnęła powiekę jedynego oka.

Nie miała już siły nawet na łzy.

– Wiktor, nie ma go! Karling zniknął! – krzyknął do telefonu Kim Yoo Sin, który czym prędzej wrócił do domu, żeby pilnować Huberta. Miał nadzieję, że ich domysły nie okażą się słuszne. Niestety... – Jest list: „Dziękuję za wszystko. Jesteś, Wiktor, porządnym facetem. Nie daj się zabić i wymierz sprawiedliwość. HK".

Helert zaklął tylko.

Przez chwilę miotał się po pokoju w bezsilnej furii, nagle jednak zatrzymał się. Dopadł laptopa, który pracowicie mielił zdjęcia Konstancy, zrzucił okno programu na pasek zadań i otworzył nowe.

Miał punkt zaczepienia! Wiedział, czego szukać! Czy raczej kogo... Hubert musiał wiedzieć, gdzie

Zadra przetrzymuje Dankę. Poszedł na spotkanie właśnie w to miejsce. Wiktor zaś znał Huberta. Wystarczy przeskanować ostatnią godzinę, celując w ulicę, przy której mieszkał Koreańczyk i...

– Bingo, draniu! – Uśmiechnął się z satysfakcją. – Myślałeś, że mi się urwiesz ot tak? Surprise, surprise, Karling.

Oznaczył sylwetkę mężczyzny, by komputer wiedział, kogo śledzić, i całkiem już wyluzowany rozparł się na fotelu, wodząc wzrokiem za spieszącym dokądś Hubertem. Zbyt wcześnie się cieszył... Obiekt podejrzewał, że będzie śledzony i wcale sobie tego nie życzył. Kluczył dotąd, coraz podlejszymi uliczkami, aż w końcu ostatnia kamera straciła go z oka i już nie odnalazła.

– Fuck! – syknął Helert, naprawdę załamany.

Znów nie miał nic. Ani najmniejszego pomysłu, co dalej.

Program działający w tle zapikał nagle alarmująco.

Wiktor poderwał się do pionu i...

– Mam cię, skurwielu. No wreszcie.

Jan Zadra pojawił się w drzwiach wypożyczalni samochodów. Program zeskanował jego twarz i powiększył na cały ekran.

– Mam cię.

Równie szybko stracił Zadrę z oczu, ale zyskał coś jeszcze: numer rejestracyjny samochodu, który tamten wypożyczył na skradziony albo podrobiony dowód. To dlatego imię i nazwisko bandyty nie pojawiło się w rumuńskim systemie informatycznym: używał fałszywych danych, których Helert nie mógł znać.

Komputer zaczął teraz mielić dane z ostatnich dni i odtwarzać wszystkie trasy, którymi poruszał się szary, niczym niewyróżniający się z tłumu fiat uno. Co chwila tracił obiekt z wirtualnych „oczu" i rozpaczliwie – tak jak Helert – próbował go odnaleźć. Gdy się to udawało, Wiktor nagradzał Acera słowami pełnymi uznania. Gdy poszukiwania trwały dłużej, panika podchodziła mężczyźnie do gardła i wtedy klął nieszczęsnego laptopa najohydniejszymi słowami. O Zadrze znów, jak w areszcie, nie mógł myśleć, bo zaślepiała go czysta, mordercza furia.

Ta gra z czasem – Wiktor nie miał pojęcia, ile godzin?, minut?, im zostało – trwała już całą noc. Jechał resztkami sił, wspomagając się kawą i red bullem, jednak ani pomyślał o choćby najkrótszym odpoczynku.

Świt zaczął srebrzyć niebo na horyzoncie, gdy do drzwi ponownie zapukał Kim Yoo Sin.

– Nie móc spać – mruknął, wpuszczony do środka. – Martwić się. – Wskazał laptop, na którego ekranie wciąż trwała zabawa z Zadrą w chowanego.

Gdyby stawką nie było czyjeś życie, obserwacja pościgu mogłaby się wydać fascynująca. Wiktor był jednak zbyt sfrustrowany, by się dobrze bawić. Prawdę mówiąc, napięty do granic możliwości, chętnie by coś rozbił albo połamał, jeszcze chętniej kogoś zastrzelił, zamiast na luzie obserwować ekran...

– Jest gdzieś tutaj – odezwał się i puknął knykciem w kwartał ulic, gdzie najczęściej urywał się trop. Gdzieś tu Zadra miał swoją kryjówkę, której monitoring Mangalii nie obejmował.

Koreańczyk przybliżył twarz do ekranu.

– Dziki teren – rzekł półgłosem. – Dużo miejsc, można zniknąć.

– Jakiś opuszczony budynek? Z dala od domów? Rudera, do której nikt nie zajrzy, nawet bezdomny? Cokolwiek?

– Daj pomyśleć dla starego – mruknął Koreańczyk. – A jeszcze lepiej daj to, co przed chwilą powiedziałeś, dla wyszukiwarki.

No jasne!

Wiktor palnął się w czoło. Czasem najprostsze metody, które zna zwykły zjadacz chleba, czy w tym przypadku użytkownik netu, mogą się okazać skuteczne.

Jednak nie w tym przypadku.

Zadra znalazł ogłoszenie w miejscowej gazecie, która nie miała nawet swojej strony www. Tylko uzupełnianą o najnowsze wiadomości stronę na facebooku.

Wiktor po raz kolejny brnął w ślepą uliczkę. Jego frustracja rosła…

ROZDZIAŁ XIX

—◆—

– Słuchaj, jesteś namierzany.

Zadra uniósł tylko kącik ust w krzywym uśmieszku.

– Przez kogo?

– Nie wiem. Wiem, że haker szuka Jana Zadry w Mangalii i okolicach.

– Co wie?

– Że nie znajdzie. Przerzucił się na Konstancę.

Gwizdnął cicho. Wikuś rzeczywiście był bystry. Ciekawe, jak bystry...

– Ile mam czasu?

– Parę godzin.

– „Parę" to znaczy, kurwa, dwie czy osiem?! Ty jesteś fachowiec czy pipa?!

– Przybastuj, Zadra, bo dostaniesz gówno, a nie informacje. Nie jestem pierdoloną wróżką ani innym jasnowidzem, ale coś czuję, że bliżej dwóch niż ośmiu.

– Więc ty też dostaniesz bliżej dwóch niż ośmiu – odwarknął.

– Umawialiśmy się…

– Pamiętam. Wiem też, że miałeś trzymać rękę na pulsie, a ty mi teraz fundujesz nowinę, że Helert działa już w Konstancy!

– Weź poprawkę na fakt, że ja najpierw muszę pokonywać jego zabezpieczenia i dopiero wtedy mam dostęp do info, które on zdążył już przemielić.

– Nie tłumacz się, partaczu. Jeśli chcesz zarobić na swoją działkę, przyłóż się do roboty. I daj, kurwa, wcześniej znać, gdy ten gnojek rzeczywiście wpadnie na mój ślad!

Jego informator rozłączył się bez pożegnania.

– Zdążymy, laleczko – mruknął Zadra do Danki, kładąc telefon na stole. Blisko, żeby w każdej chwili mieć go pod ręką.

Danka, siedząc od wielu godzin przywiązana do krzesła, nie zareagowała. Trwała resztkami sił, modląc się coraz żarliwiej o szybką śmierć.

Pobita, posiniaczona, ze zwieszoną głową i włosami zlepionymi krwią, które zasłaniały zmasakrowaną twarz, była strzępkiem człowieka. Istotą tak godną współczucia, że tylko bestia pokroju Zadry nie znalazła litości w swoim podłym, zgniłym sercu. Spojrzał na kobietę, która trzęsła się leciutko na całym ciele.

– Wiesz, co masz robić? – syknął.

Nawet nie musiał podnosić na nią głosu. Ani ręki. Złamał ją całkowicie i do końca.

– Wiem – odszepnęła pokornie.

– Straciliśmy go do reszty, niech mnie szlag. – Wiktor odjechał na fotelu od stołu i potarł zmęczone oczy dłońmi, całkiem pokonany.

Kim Yoo Sin patrzył z resztkami nadziei na ekran laptopa, ale skanowanie zatrzymało się na ostatnim obrazie i to by było na tyle.

– Jak to możliwe, że obaj, Zadra i Hubert, urwali się ze smyczy? Nie rozumiem tego! Nic? Ani jedna kamera nie jest w stanie ich namierzyć?! Jakbyśmy się próbowali przebić przez cholerny, szklany sufit! – krzyknął i z furią cisnął puszką red bulla w górę. Spadła mu pod nogi, ale nie zauważył tego, wpatrzony właśnie w sufit nad swoją głową. – Słuchaj, Kim… – zaczął powoli. – Może ten skurwiel trzyma Dankę tam? – Wskazał palcem do góry.

Koreańczyk powoli uniósł wzrok.

– Może szukamy łachudry po Mangaliach i Konstancach, a on cały czas jest blisko i… doskonale wie, co robimy? – dokończył półgłosem. Jeśli jego domysły były słuszne, mieli poważny problem.

Wstał powoli, napięty niczym jaguar na polowaniu, ujął w obie dłonie glocka, odbezpieczył i ruszył do drzwi. Kim Yoo Sin za nim, uzbrojony w nóż sprężynowy. Ostry i długi. Dobry do zabijania.

Cicho przemknęli na drugie piętro. Helert nacisnął klamkę. Drzwi, o dziwo, ustąpiły z przeciągłym skrzypieniem. Odkopnął je z całej siły. Odbiły się od ściany. Przytrzymał je i jednym susem był w środku. Omiatał niewielki pokój czujnym spojrzeniem. Przemknął na drugą stronę. Do sypialni. Ale i tu było pusto. Jeszcze rzut oka do łazienki i wypuścił wstrzymywane przez te kilkadziesiąt sekund powietrze. Nadzieja prysła. Pokręcił głową, opuszczając pistolet.

– Ktoś tu niedawno być – zauważył Koreańczyk, wskazując ślady na podłodze. Kurz nie zdążył osiąść na nich ponownie.

Podszedł do łóżka, wskazał plamy krwi na poduszce.

– Może nasz przyjaciółka?

– Znęcał się nad nią, bydlak – mruknął Wiktor, dotykając szkarłatnych kropli. – Że też Ziemia nosi takie swołocze...

Kim Yoo Sin przechylił nagle głowę, sięgnął pod poduszkę i wyjął spod niej gazetę złożoną na cztery. Miejscowy dziennik sprzed kilku dni.

– No jasne! – wyszeptał, przenosząc spojrzenie z gazety na Helerta. – Mamy go!

Hubert Karling, utykając na zranioną nożem nogę, przemykał w kierunku opuszczonego hotelu. Rozglądał się przy tym na wszystkie strony w poszukiwaniu kamer. Domyślał się, że Wiktor nie odpuści, że będzie do końca próbował odnaleźć jego, Zadrę i Danusię, ale... nie mógł przyjacielowi pozwolić na pomoc. Od tego, czy stanie przed Zadrą sam, nieuzbrojony, tak jak tamten sobie życzył, zależało życie Danki.

Nawet gdyby nie chciał zaufać obietnicom bandyty, nie pozostawiono mu wyboru. Dopóki on, Karling, będzie wypełniał polecenia, dopóty ona żyje. Jeden błąd i oboje zginą. Spieszył więc pod wskazany adres, modląc się, by przyjaciel go nie namierzył.

Dotarł do zarośli, rosnących po przeciwnej stronie ulicy, i ukrył się w nich, mając opuszczony hotel jak na dłoni. Miejsce na przetrzymywanie zakładnika było idealne. Wokół żywej duszy. Najbliższe zabudowania tak daleko, że nie dobiegłby do nich najgłośniejszy krzyk. Droga kończyła się tutaj, na podjeździe, nie było więc w pobliżu ruchu kołowego ani przechodniów.

Spojrzał na zegarek. Jeszcze kwadrans. Długie piętnaście minut.

Może powinien spożytkować ten czas na rozpoznanie? Obejść hotel dookoła w poszukiwaniu ewentualnych dróg ucieczki?

I kiedyś, za czasów Gniewu Orła, tak właśnie by zrobił, dziś jednak nie miał cienia nadziei, że wyjdzie z tego żywy. A Dance martwy też niewiele pomoże.

Oparł się plecami o niewysoki murek i przymknął oczy.

Najgorsze było oczekiwanie.

I samotność.

Jak dobrze byłoby mieć obok siebie druha z oddziału. Piotrka Mizerę, Damiana… A jeszcze lepiej Danuśkę. Tutaj, z nim. Bezpieczną. Gdyby udało im się przeżyć, pierwsze kroki skierowałby na posterunek miejscowej policji. Podałby ręce do kajdanek i wyznał, kim jest. Nigdy więcej by nie uciekał i nie ciągnął Danusi w śmierć. Nigdy!

Dostałby pewnie dożywocie – albo zbłąkaną kulę w łeb – ale Danusia odsiedziałaby parę lat, potem wyszła na wolność i zaczęła nowe życie. Choćby z Helertem. Porządny z niego gość. Zaopiekowałby się nią lepiej, niż zrobił to on, Hubert. Bo Wiktor nie zawahałby się, gdyby jedynym wyjściem z sytuacji był strzał z przyłożenia. We własną skroń. Nie stchórzyłby.

Danka z Wiktorem u boku może miałaby szansę na jakąkolwiek przyszłość. Na ciche szczęście. Na początku rozpaczałaby, ale czas leczy rany, zaciera złe wspomnienia, pozostawia te dobre. Hubert pozostałby takim właśnie wspomnieniem. Co zrobić, żeby chociaż ona wyszła z tej matni?!

„Wytrzymaj, kochana moja. Jeszcze pięć minut. Za chwilę wszystko się skończy...".

Samotność.

Danka znała jej smak. Była samotna do bólu przez wiele lat. Tak bardzo, że pewnej czarnej nocy postanowiła z nią skończyć. Z samotnością i ze sobą.

Uratował ją Hubert Karling, poszukiwany przez pół świata zabójca Prezydenta RP. Przynajmniej tak wmówili opinii publicznej ci, którzy stali za zamachem. Ona uwierzyła – nie tak prędko, lecz jednak – że jest niewinny. Że podle go w to zabójstwo wrobiono. Ci, którzy pociągali za sznurki, nigdy nie zostali zdemaskowani, pociągnięci do odpowiedzialności, natomiast z Huberta i wszystkich, którzy mu pomagali, zrobiono łowną zwierzynę. Wyznaczono nagrodę, która na dziś wynosiła już ponad dwa miliony, i ścigano go po całym świecie niczym wściekłego psa.

Danka trwała przy tym mężczyźnie nie tylko przez wdzięczność, że ocalił ją od śmierci, nawet nie z miłości, chociaż kochała go beznadziejnie i całym sercem, a po prostu dlatego, że był dobrym, szlachetnym człowiekiem. Właśnie tak. I nie mogła się pogodzić z podłością losu,

świata i ludzi, że skazali tego człowieka, niewinnego przecież, na śmierć.

Była przy nim, gdy o świcie musieli uciekać z bezpiecznej przystani, jaką miał być domek w Aya Napie.
Kupił go ich przyjaciel i oddał dwójce zbiegów właśnie
po to, by odetchnęli po długiej tułaczce, by posmakowali
dawno zapomnianego poczucia bezpieczeństwa.

Ktoś zdradził. Albo się domyślił. Może trafił na polski
kanał, gdzie wciąż od czasu do czasu ukazywały się zdjęcia Karlinga? Nie wiadomo. Dość, że w ostatniej chwili
zostali ostrzeżeni. Uciekli z domku, zostawiając wszystko,
oprócz dokumentów, minuty wcześniej, niż na drodze
ukazały się opancerzone samochody cypryjskiej AT.

Wtedy po raz pierwszy Hubert poczuł śmiertelny
pocałunek śmierci, składany na czole nie jego, a Danki.
Coś w nim, ukrywającym się rok dłużej, pękło i o mało
go nie straciła. Ale przetrwali to. I długą poniewierkę po
podrzędnych motelach, spelunach, tanich pensjonatach
i pustostanach, dzielonych niejednokrotnie z bezdom-
nymi, również.

Przyjaciele z Gniewnych pomagali im, jak mogli. Skądś
zaczęły przychodzić pieniądze i pojawiła się nadzieja na
nieco lepsze życie. Nie wyglądali na bezdomnych, nie
potrafili wtopić się w tłum, co ściągało na nich uwagę.
Trzeba było zmienić maski.

Damian wyszukał dla nich dom na północy Cypru, w słonecznej Kyrenii. Ale i tu nie pomieszkali długo. Miejscowa mafia zbyt interesowała się piękną cudzoziemką, by dać im spokój. Znów musieli uciekać. Tym razem na kontynent. Ponownie pospieszyli im z pomocą przyjaciele. Kędzior wynajął szybką łódź i oto przybijali pod osłoną nocy do wybrzeży Rumunii.

Mangalia miała się stać ich miejscem na ziemi. Przynajmniej na jakiś czas.

Ten „jakiś czas" potrwał parę tygodni…

I miał się skończyć już za chwilę. Dosłownie za pięć minut.

Wiedziała, że nadchodzi koniec, odliczała uderzenia serca dzielące ją od śmierci i była w tym wszystkim tak strasznie samotna. Trzymać Huberta za rękę. Tylko o tym marzyła w tej najczarniejszej i najsamotniejszej godzinie swego życia…

Nagle uchyliła szerzej powiekę jedynego oka. Oto znikąd pojawił się cudny, czarno-niebieski motyl. Okrążył głowę kobiety i przysiadł na jej okaleczonej dłoni. Delikatnie dotknął czułkami kikuta palca, a rana… nagle przestała boleć. Znów łza potoczyła się po policzku kobiety.

Zerknęła na Zadrę. Przyciągnięty jej spojrzeniem warknął tylko: „Co się gapisz, dziwko?" i powrócił do kontemplacji sufitu.

To niemożliwe, żeby nie widział tego cudu! Uniosła lekko palec, na którym siedział motyl. Poderwał się do lotu tylko po to, by zatańczyć przed nią i z powrotem, z lekkością i gracją, usiąść na dłoni kobiety. Usłyszała – mogłaby przysiąc, gdyby ktoś ją pytał – czyjś spokojny, pewny głos:

– Nie będziesz już sama.

I załkała z ulgi.

Zamknęła powiekę.

Dwie minuty…

ROZDZIAŁ XX

Czas uciekał, a oni miotali się od nadziei, do rozczarowania. Przewertowali ukrytą pod poduszką gazetę od A do Z, szukając jakiejś wskazówki, kodu, czegokolwiek! Ale Danka – bo byli pewni, że to ona była tu więziona – zostawiła jedynie to: starą gazetę.

– Może źle patrzą my? – odezwał się Kim Yoo Sin, po raz kolejny wertując strony dziennika. – Szukają ukrytych znaków, a to ma być coś… bardzo jasno oczywiste?

Podsunął Wiktorowi pod oczy przedostatnią stronę, na której czytelnicy mogli umieszczać ogłoszenia. Ten nagle się ożywił. Przeleciał kolumnę wzrokiem i musiał się uśmiechnąć.

– Myślisz, że Zadra szukał czegoś do wynajęcia?

– Czemu nie. – Koreańczyk swoim zwyczajem przechylił głowę. – Pamiętasz, gdzie twój program poszukujący się poddał? Gdzieś niedaleko stąd. Gdyby szukać coś na uboczu, miejsce, w który mógł przetrzymywać więzień... To by mi bardzo pasowało. – Stuknął palcem w jedno z ogłoszeń, niepozorne, bez zdjęcia: „Wynajmę niedokończoną budowę hotelu. Budynek stoi opuszczony od siedmiu lat. Do rozbiórki. Adres...”. – Wiesz, gdzie to jest, Bigtoleu? Na koniec świata. Jak to ty kiedyś próbował tłumaczyć z polskiego na mój: „psy tam dupami jedzą”.

– Dupami szczekają – poprawił go Helert i ruszył do drzwi, sprawdzając, czy glock jest na swoim miejscu. – Idziesz ze mną, Yoo Sin?

– Pewnie.

– Może być gorąco. B a r d z o gorąco.

– Lubię duży upał.

Nie zostało nic więcej do dodania. Ruszyli biegiem. Mogli wskoczyć w samochód i byliby na miejscu dużo szybciej, ale warkot silnika zaalarmowałby Zadrę, a przecież liczyli na zaskoczenie. Od celu dzielił ich niecały kilometr. Dochodziła piąta.

Hubert spojrzał na zegarek i poczuł, jak całe ciało napina się, gotowe do akcji. Zrzucił bluzę i spodnie, pozostając w samych szortach i bokserce. Wyszedł na otwartą przestrzeń, w każdej chwili spodziewając się strzału. I kuli. Ale dookoła panowała błoga cisza poranka. Idąc środkiem podjazdu, uniósł twarz do słońca, zapatrzył się przez kilka uderzeń serca na błękitne niebo. Było tak piękne…

Wreszcie dotarł do wejścia.

– Zadra, idę! – krzyknął. – Jestem sam! Nieuzbrojony!

– Wbijaj, Karling. – Usłyszał w odpowiedzi. – Czekamy na ciebie. Impreza bez najważniejszego gościa to nie impreza.

Wbiegł po kilku schodkach i ruszył długim korytarzem, kierując się głosem tamtego. Ostatnie drzwi po prawej. Stamtąd dobiegało kpiące zaproszenie.

Hubert zatrzymał się w progu i… odebrało mu oddech.

Patrzyła na cudnego motyla, który spokojnie siedział na jej palcu, czułkami dotykając kikuta, jakby całował jej nieszczęsne, okaleczone ciało. Wiedziała – miała pewność – że ta maleńka istota nie z tego świata zostanie z nią do końca. Zacisnęła palce drugiej dłoni na swym małym skarbie i czekała…

Hubert stanął w drzwiach. Danka uniosła głowę i rozwarła powiekę. Próbowała się uśmiechnąć, ale opuchnięte, pokrwawione wargi nie słuchały.

– Co ty jej zrobiłeś? – Usłyszała jego zduszony furią głos. – Co ty, skurwysynu, ty bestio, zrobiłeś bezbronnej kobiecie?!

Karling ruszył, gotów rozedrzeć Zadrę na krwawe strzępy. Ten wbił lufę pistoletu w skroń kobiety i warknął:

– Ani kroku dalej, gnoju. Ty jesteś już trupem, ona ma szansę przeżyć.

Mężczyzna zamarł bez ruchu.

– Zastrzel mnie, rób, co chcesz, ale ją wypuść – głos mu się załamał.

Domyślał się, że Zadra może być brutalny – Wiktor miał o nim najpodlejsze zdanie – ale w najgorszych koszmarach nie przypuszczał, że bestia tak Dankę zmasakruje! Gdyby nie sukienka, w której widział ją po raz ostatni, czy raczej resztki sukienki, i jeszcze kikut palca, który mu przysłano, pomyślałby, że to kto inny! Jakaś nieszczęśnica, skatowana przez bandytę, którą – owszem – trzeba odbić z rąk zwyrodnialca, ale przecież nie jego Danusia!

Zrobił krok w przód, znów w szoku.

– Mówiłem, stój! – zatrzymał go głos Zadry. – Przestrzelić jej kolano, żebyś zaczął słuchać?!

Hubert powoli uniósł ręce.

– Klękaj! Ręce na kark! – padł rozkaz.

Osunął się ciężko na kolana.

Ona spuściła głowę.

I nagle… wszystko nabiera tempa.

Zadra wstaje i, nie opuszczając pistoletu, rzuca w kierunku Karlinga kajdanki. Ten wie, co ma robić. Już chce zacisnąć obręcz na nadgarstku, gdy Danka z całych sił wbija ostrze nożyka, które ściskała dotąd w dłoni, w udo Zadry. Ten strzela odruchowo. Urwany krzyk. Dankę odrzuca na oparcie krzesła. Karling też zaczyna krzyczeć.

– Danka, Danusia, nie! Błagam, nie!

Biegnie. Bach! Bach! Bach! Padają strzały. Jeden po drugim. W pierś, w pierś, w ramię, ale on nie czuje kul. Dopada ukochanej kobiety. Chwyta ją w ramiona i płacząc, powtarza jej imię. Ostatni strzał, w głowę, i osuwa się do stóp martwego ciała.

Do środka wpada Wiktor z Kimem. Ten pierwszy strzela, prawie nie mierząc. Zadrę odrzuca na ścianę. Helert chce strzelić po raz drugi, trzeci i dziesiąty. Chce wpakować w skurwysyna, który właśnie zabił dwoje niewinnych ludzi, cały magazynek, ale Koreańczyk szarpie go za ramię.

– Nie zabijaj! Będzie źle, jeśli zabijesz! Nie wolno! Nie teraz!

Wiktor odtrąca go.

Dopada bandyty i wbija mu lufę glocka pod brodę z taką siłą, że tamtemu oczy wychodzą na wierzch.

– Powód, daj jeden powód, żebym nie odpierdolił ci łba... – syczy z nienawiścią.

Zadra nie ma czasu zastanowić się nad odpowiedzią.

– Nie jesteś mordercą!

– Nie b y ł e m mordercą. Powód, skurwielu.

– Ona żyje! Twoja Weronika żyje!

Ręka trzymająca pistolet cofa się o milimetr czy dwa.

„Weronika! Ona ma na imię Weronika!".

– Jak to udowodnisz? – Wiktor cedzi przez zaciśnięte zęby.

Gdyby mógł, wyprułby Zadrze flaki, tak żeby ten długo konał, i wydusił z niego wszystkie informacje, całą swoją przeszłość. Na razie patrzy, jak ten krwawi z przestrzelonego barku, krwawi z uda, ogląda się na zmasakrowane ciała Danusi i Huberta i… łzy napływają mu do oczu.

– Jak. To. Udowodnisz! – powtarza, z każdym słowem wbijając pistolet Zadrze w gardło jeszcze głębiej.

– Maile! Ona pisze do ciebie maile! Mam je wszystkie! Mam dostęp do konta!

– Kim, podaj telefon. – Wiktor wyciąga rękę naglącym gestem i mówi do Zadry: – Myślisz, łachudro, że uwierzę ci na słowo? Masz. Wpisuj adres. Jedno drgnięcie palca na cyfrę jeden i jesteś trupem.

Zadra podnosi telefon do oczu i…

Huk jest tak ogłuszający, a podmuch eksplozji są tak silny, że podcina Wiktorowi kolana.

Do środka z wrzaskiem wpadają zamaskowane draby. Trzech, czterech… Helert nie liczy, pada na podłogę, rozstawia szeroko nogi i ręce. Skuwają go błyskawicznie. Szarpnięciem podrywają do pionu. Niemal unoszą ze sobą na zewnątrz i wpychają do furgonetki. Yoo Sin sekundy później ląduje obok niego.

Patrzą na siebie.

W oczach Wiktora jest pustka.

W oczach Kima żal.

Siedzą w ciszy długie minuty, każdy zapadnięty we własne myśli.

Wreszcie samochód rusza, ale chwilę wcześniej Helert odwraca się i widzi, jak czterech zamaskowanych mężczyzn wynosi w czarnych workach dwa ciała. Znów łzy napływają mu do oczu. Ociera je przedramieniem.

„Nie było dla was miejsca na tym świecie. Jak nie Zadra, to inny bydlak próbowałby was dorwać. A tak jesteście już razem. Wreszcie wolni. Gdzieś tam, w cichej, bezpiecznej przystani", posyła Dance i Hubertowi ostatnią serdeczną myśl. „Żegnajcie, przyjaciele".

Czarno-niebieski motyl – skąd on się wziął w zamkniętym na głucho samochodzie? – podlatuje do Wiktora, składa skrzydła i delikatnie dotyka czułkami jego dłoni...

TRZY LATA PÓŹNIEJ

ROZDZIAŁ XXI

Długo nie mogłem pogodzić się z tym, co spotkało Dankę i Huberta.

Zaszczuto na śmierć dwoje niewinnych, dobrych ludzi. Ten, co ich zastrzelił, ot tak, bez sądu, bez wyroku, nie poniósł najmniejszej kary. Dodam, że strzelał do bezbronnych, bo Danka zginęła przykuta do krzesła, Hubert też nie był uzbrojony. Nie miało to żadnego znaczenia. Zadra zniknął. Rozpłynął się w powietrzu.

Nas za to – mnie i Kima – najpierw trzymano w plugawym areszcie, potem próbowano wrobić w podwójne zabójstwo, że to niby my zamordowaliśmy dwóch cudzoziemców, duńskie małżeństwo. Na szczęście na pistolecie Zadry nie było moich odcisków palców. Kima także nie.

Nota bene gdyby nie mój koreański przyjaciel, nie wykpiłbym się tak łatwo. Zabiłbym Zadrę, z rozkoszą bym to zrobił, *i poszedłbym siedzieć na długie lata. Na szczęście Kim mnie powstrzymał. Śmierć Zadry niczego by nie zmieniła. Przeciwnie: ten skurwiel zginąłby szybko. Za szybko. A ja życzyłem mu długiego konania w bólu.*

Za kaucją, na którą złożyli się moi uczniowie, wyszedłem po sześciu miesiącach. Rok później postępowanie w mojej sprawie umorzono. Nie ja zabiłem Dankę i Karlinga. Z kolei ten, do którego strzelałem, zniknął, jakby nigdy nie istniał. Nie ma ofiary, nie ma przestępstwa. A ja bardzo tę ofiarę chciałem dorwać.

Szukałem łachudry po całym świecie. Nie ruszając się z domu rzecz jasna. Internet to potężne narzędzie, zwłaszcza w rękach hakera. Jednak nawet niezły haker – a takim ponoć byłem – nie znajdzie czegoś, czego w internetach nie było i nie ma. Gdy mój dzielny acer raz po raz meldował mi, że „nie znaleziono żadnych wyników dla hasła, jakie podałeś, ignorancie", zacząłem się zastanawiać, czy Jan Zadra w ogóle istniał. Nigdy nie sprawdzałem jego ID, mógł sobie to pseudo wymyślić. Na potrzeby kontaktu ze mną i tylko ze mną.

Zacząłem więc rozpracowywać nasze służby. Parę razy włamałem się na serwery CBŚ, odwiedziłem KGP, GROM, MON i co tylko chcecie. Stukałem i pukałem do okienek każdej formacji, która mogłaby prowadzić operacje zagraniczne. Nawet tej, o której istnieniu zwykły zjadacz chleba nie ma pojęcia. I tutaj acer kazał mi spadać na drzewo. W Rumunii w ostatnich latach nie miała miejsca żadna akcja polskich służb.

Ruszyłem więc śladem nagrody za zlikwidowanie Huberta Karlinga, która komuś powinna być wypłacona. I kolejny mur: nikt się po pieniądze nie zgłosił. Przekazano je organizacji charytatywnej.

Sprawa Jana Zadry, sadysty i bandyty, wydawała się beznadziejna.

A przecież znałem go, wiedziałem, do czego jest zdolny. Tamten dzień, w którym zastrzelił Dankę i Huberta, nieraz powracał do mnie w koszmarnych snach...

Znów tam jestem.

Wbiegamy z Kim Yoo Sinem w pustą uliczkę, na której końcu stoi opuszczony hotel. Jest przed nami może dwieście metrów. Widzę znajomą sylwetkę. To Karling wchodzi do środka.

– Kim, nadążasz? – rzucam przez ramię, przyspieszając.

– Martw się o siebie, synu – odpowiada mój przyjaciel.

– Widziałeś go?

– Tak.

– Ja wchodzę od frontu, ty spróbujesz dostać się...

– Wiem.

Ale nasze plany niemal natychmiast biorą w łeb, już nie musimy robić szybkiego rozpoznania, nie musimy się skradać: pada strzał. Hubert krzyczy tak, że jeżą mi się włosy na karku.

– Danka, Danusia, nie! Błagam, nie!

I już wiem, że jesteśmy za późno…

Ktoś, pewnie Zadra, strzela jak opętany, raz, drugi, trzeci. I ostatni.

Wpadam do środka, widzę dwa martwe ciała i mam chęć mordować gołymi rękami. Strzelam niemal na oślep. Żadne niemal: na oślep, bo do oczu nabiegają mi łzy cholernego żalu i jeszcze cholerniejszej wściekłości.

Zadrę odrzuca na ścianę. Kim uwiesza się mojego ramienia, uniemożliwiając mi zabicie tamtego skurwysyna. Wbijam bandycie lufę pod brodę.

– Powód. Daj jeden jedyny powód…

Wtedy pada imię Weroniki.

I Zadra będzie żył.

Musiał mieć, bękart, nagrane wsparcie kumpli, bo do akcji wkraczają nagle jacyś zamaskowani pakerzy. Oczywiście nie mam czasu im się przyjrzeć, bo szybko mnie skuwają i wyprowadzają z budynku. Zanim to zrobią, widzę zwłoki Danki i przysięgam Zadrze, że za to, co jej zrobił, będzie zdychał w męczarniach. Tak ją zmasakrował, że szybka śmierć była dla niej wybawieniem. Spoczywaj w spokoju, Danuśka…

Do dziś nie mogę sobie wybaczyć, że spartoliłem tę robotę. Że nie odnalazłem sadysty na czas. Że nie uratowałem Dance życia.

Czy Zadra odczuwa jakiekolwiek wyrzuty sumienia? Trzeba najpierw to sumienie mieć…

Ślad po tym bandziorze urywa się właśnie tam, w opusz-czonym hotelu.

Wtedy zaczynam szukać Weroniki. Mojej Nisi.

I szukam jej tak przez kolejne trzy lata.

Wiktor wyszedł na balkon i zapatrzył się na spokojny bezmiar Morza Czarnego. Był to inny balkon i inny dom, ale morze to samo.

Do rudery, w której mieszkał przed strzelaniną, nie wrócił. Poprosił Kima, który wyszedł z aresztu po kilku dniach, żeby zabrał jego rzeczy i znalazł mu inne miejsce. Koniecznie na odludziu i koniecznie z widokiem na morze. Koreańczyk wywiązał się z zadania genialnie i Wiktor po wyjściu z więzienia od razu pojechał do małej, zadbanej willi, wybudowanej na klifach po drugiej stronie miasta.

– Stać mnie na taki luksus? – Helert spojrzał z powątpiewaniem na przyjaciela. Był bez grosza. Na rentę nie mógł już liczyć.

– Dziś może nie. Może będę ja pożyczać, ale wiesz, przyjacielu mój, ty jest uzdolniony włamywacz. – Koreańczyk spojrzał znacząco na laptop zajmujący honorowe miejsce pośrodku biurka.

Miał rację.

Z białej hakerki – Wiktor nie zamierzał zajmować się żadną inną – dało się spokojnie żyć. I to jak!

Ciągle ktoś zapominał haseł, które kto inny, na przykład taki Helert, musiał odzyskiwać. Ciągle ktoś kogoś blokował, spamował, trollował, hejtował. Internetowych oszołomów było bez liku. Dobry haker wart był tyle złota, ile waży. A Wiktor był b a r d z o   d o b r y, jednak dziewczyny ze snów, rudowłosej, zielonookiej Weroniki, nie potrafił namierzyć. Miał tylko to: jej imię – o ile Zadra go nie ołgał, rzecz jasna. Zdjęcie zniknęło z szuflady biurka. Algorytm nie radził sobie z tak niewielką ilością danych.

Mimo to Wiktor, gdy tylko miał wolną chwilę, wrzucał w swój czarodziejski program hasła: „Weronika", „kolor oczu – zielone" i przeglądał po kolei którąś z siedmiuset tysięcy stron z nadzieją, że ją odnajdzie.

Próbował przypomnieć też sobie adres mailowy, na który podobno pisała do niego maile. Boże mój… Wiktor wprowadzał na wszystkie polskie portale miliony kombinacji swojego imienia i nazwiska, inicjałów, daty urodzenia i co tylko przyszło mu do głowy, szukając tej właściwej: konta mailowego, gdzie być może czekały listy od Weroniki. Wystarczyło, gdyby odnalazł właściwy adres, hasło nie było problemem, ale i to na próżno.

Czy mógł przypuszczać, że ich tajnym kontem będzie mwm@wp.pl? Nie jak „Wiktor Helert", nie jak „Weronika Nocyk", a „Moja Wielka Miłość"? No sorry, nawet geniusz by na to nie wpadł…

Powoli zaczął się poddawać.

Mangalia stała się jego drugą ojczyzną. Lubił swoją pracę – tę z uczniami, i tę mniej oficjalną. Lubił swój dom. I błogi spokój, gdy siadał na balkonie ze szklaneczką whisky i wodził wzrokiem za czarnowłosymi pięknościami, przechadzającymi się po plaży u podnóża klifów.

Z uwodzeniem wszystkiego, co ładne i chętne, przybastował. Serio. Jednonocne przygody przestały Helerta kręcić. Po pierwsze, skoro postanowił zostać w Mangalii na zawsze, przez seksualne ekscesy mógł sobie narobić wśród miejscowych wrogów. Żaden facet na dłuższą metę nie pozwoli, by inny rwał jego córkę, żonę, siostrę czy dziewczynę. Taki lowelas szybko kończy z połamaną szczęką. Ewentualnie jako pokarm dla ryb. A Wiktor postanowił żyć.

Zresztą… smagłe, czarnowłose łanie – a taka była uroda Rumunek – przestały się jakoś Helertowi podobać. On szukał tej jedynej. Jeśli nie mogła to być Weronika, to chociaż dziewczyna do niej podobna. Miał słabość do rudowłosych kobiet, cóż począć.

Gdy widział jakąś na ulicy, musiał do niej podejść, zagadać, zapytać z nadzieją: „Masz na imię Weronika"? Zwykle zawartą w ten sposób znajomość kończyli w łóżku, bo Weronika czy nie, Helert naprawdę mógł się podobać, ale… to nie było to.

Tylko raz, jeden jedyny raz wydawało mu się, że odnalazł Świętego Graala…

W czarnych dżinsach i białej koszulce polo, z ciałem tak wyrzeźbionym godzinami treningów, że tylko schrupać, Wiktor Helert wyglądał obłędnie. I tak sobie idąc na bosaka nadmorską promenadą, miał tego całkowitą – i przyjemną, dodajmy – świadomość.

Nie było dziewczyny, jak Mangalia długa i szeroka, która by się za nim ukradkiem lub całkiem otwarcie nie obejrzała. On sam nie pozostawał obojętny na zachęcające spojrzenia. A to się uśmiechnął, a to puścił oczko, jednak nie miał dziś ochoty na flirt i nie zagadał do żadnej.

„Co z tobą?", pomyślał w pewnym momencie. „Taki ogier i nie ma ochoty?".

Lecz tak właśnie było. Zakończył dziś rano krótki, acz burzliwy związek z piękną blond piosenkarką, która przyjechała do Rumunii na nagranie teledysku, a po sesji wpadła prosto w ramiona przystojniaka, który układał choreografię scen walki.

Nie wychodzili z łóżka przez następne dwa dni, aż gwiazdka musiała koncert odwołać. I ona zostałaby w tym łóżku i w ramionach Helerta jeszcze dłużej, on jednak... po prostu nie miał, między jednym pieprzeniem a drugim, o czym z tą laską rozmawiać. A czasami przecież trzeba.

Była świetna, naprawdę, wyczyniała takie rzeczy – zupełnie bezpruderyjna i gotowa na wszelkie eksperymenty – że czerwienił się na samo wspomnienie, a był bądź co bądź dorosły i pozwalał sobie na wiele. Jednak seks to nie wszystko. W przerwach wypadałoby zamienić kilka słów. Amanda była tak pusta, że stać ją było jedynie na pstrykanie selfie. Ile można słuchać o followersach i lajkach? No ile?

Dwa dni.

Rano Wiktor zaspokoił Amandę tak, że na przemian błagała o litość i prosiła o więcej. Po wszystkim ucałował jej nabrzmiałe piątym czy szóstym orgazmem usta, pożegnał się i wyszedł. Wybiegła za nim na hotelowy korytarz półnaga. Uczepiła się, nic nierozumiejąca, jego ramienia.

– Zrobiłam coś nie tak? Przecież było ci dobrze!

Zapewnił, że było i wytłumaczył – bo to jedynie przyszło mu do głowy – że za parę godzin wraca jego żona z czwórką dzieci. Amanda strzeliła go w twarz, wcale mocno, i zapłakana wróciła do pokoju. Westchnął tylko. Ile razy to przerabiał... Potarł piekący policzek i ruszył w drogę do domu.

Czy to dziwne, że nie miał ochoty na kolejny flirt?

– Źle skończysz, Bigtoleu – powtarzał Kim Yoo Sin z tym swoim śmiesznym, koreańskim akcentem, gdy Wiktor szedł do następnej zdobyczy albo od niej wracał. – Ktoś ci wreszcie kosa pod żebra da.

Mogło się tak zdarzyć.

Mijająca go śliczna blondynka posłała mu tak zachęcający uśmiech, a jej facet tak mroczne spojrzenie, że Wiktor w duchu przyznał Kimowi rację. Raczej nie umrze ze starości we własnym łóżku. Ale to nie będzie ten dzień. Dzisiaj chciał po prostu wrócić do domu i zjeść w spokoju i samotności śniadanie.

Nagle stanął jak wryty.

Przy budce z lodami dokazywała, przekrzykując się i chichocząc, grupka dziewczyn. Jedna z nich, stojąca do Wiktora tyłem, natychmiast przyciągnęła jego uwagę. Była szczupła i niewysoka. Bujne włosy, barwy dogasającego ogniska, spływały w miękkich falach niemal do pasa. Odgarnęła je zmysłowym ruchem, a Helertowi serce podeszło do gardła.

To ona! Weronika! Nie ma co do tego wątpliwości!

Podszedł do dziewczyn, napięty, jakby szykował się do skoku. Umilkły, mierząc go głodnymi spojrzeniami. Ta jedyna, zdziwiona nagłą ciszą, odwróciła się i niemal wpadła mu w ramiona. Oparła dłonie na twardych piersiach mężczyzny i uniosła zdumione oczy na jego surową, przystojną twarz.

Nagle ta twarz złagodniała.

– Weronika? – zapytał miękko, będąc pewien, że ona przytaknie.

– Georgina – odparła z francuskim akcentem. – Ale dla ciebie mogę być Weroniką.

I czar prysł.

Wiktor przeprosił za pomyłkę i pożegnał się uprzejmie, mimo że dziewczyny – na czele z Georginą – zrobiłby wszystko, by go zatrzymać. Jednak on... miał dosyć.

Tego dnia coś w nim pękło.

Poddał się.

Skoro nie może mieć swojej Weroniki, poszuka namiastki albo pozostanie samotny.

To postanowił.

ROZDZIAŁ XXII

Tego popołudnia, w trzecią rocznicę śmierci Danki i Huberta, siedział zamyślony na balkonie ze szklanką whisky w dłoni i wspominał przyjaciół. Tak, znali się krótko, ale myślał o nich „przyjaciele".

Miłość tych dwojga zaczęła się w dramatycznych okolicznościach i skończyła tragicznie, mimo to Wiktor trochę Hubertowi i Dance zazdrościł. Kochali się do końca. Żadne z nich nie doświadczyło zdrady i rozczarowania. Żeby być z Karlingiem, Danka narażała się na śmierć. On gotów był odejść, by ją ocalić. Czy może być piękniejszy i prawdziwszy dowód miłości?

Co on, Wiktor, zrobiłby dla ukochanej dziewczyny? Dla swojej Weroniki? Odpowiedź „wszystko" była taka banalna...

Upił długi łyk.

W taki dzień jak dziś samotność doskwierała mu bardziej niż zwykle. W marzeniach widział swój dom, choćby tę willę, wypełniony śmiechem dzieci. Widział swoją Weronikę, jak budzi się w jego ramionach, posyła mu śliczny uśmiech, całuje i szepce: „Kocham cię". Śniadania w łóżku. Rodzinne obiady przy dużym stole, tak by pomieścił gromadkę dzieci i ich dwoje. Spacery na plażę i powroty do domu o zachodzie słońca. A w nocy seks do utraty zmysłów. Naprawdę pragnął zbyt wiele?

„Chyba jestem przeklęty", pomyślał. „Ktoś, tylko za co i kto?, rzucił na mnie klątwę. Jestem niebrzydki, niegłupi i nieubogi, a mimo to sam. Co ze mną nie tak, że nie potrafię odnaleźć mojego przeznaczenia, a gdy wydaje mi się, że to ta jedyna, robię wszystko, by ją stracić?".

Zadawał sobie podobne pytania setki razy i nie znalazł odpowiedzi.

„Za ciebie, Danusia, i za ciebie, Hubert". Uniósł szklaneczkę w toaście i wypił do dna.

Nagle ktoś zapukał do drzwi.

„Spieprzaj", pomyślał.

Nie spodziewał się gości, a Kim Yoo Sin, jego jedyny przyjaciel, wchodził bez pukania.

Ten ktoś nie zamierzał odpuścić. Walił dotąd, aż Wiktor podniósł się z leżaka.

– Czego się dobijasz, mendo? – mruczał niechętnie, idąc do drzwi.

Gdy w końcu je otworzył... oniemiał.

A potem rzucił tylko jedno jedyne słowo. Kwintesencję nienawiści:

– Zadra.

Tak. Człowiek, który stał na ganku, jednocześnie był Janem Zadrą i zupełnie tamtego bandyty nie przypominał. Wiktor nie uczynił najmniejszego gestu, by zaprosić go do środka. Mierzył nieproszonego gościa zmrużonymi oczami, zaciskał szczęki i... milczał.

– Wpuścisz mnie?

– Nie. Mów, czego chcesz, i spierdalaj. – Krótko i na temat.

– Słuchaj, Wiktor, możesz mnie nienawidzić...

– Serio? Wyrażasz na to zgodę? – prychnął Helert z gryzącą ironią.

– Mówię: masz prawo do nienawiści, ale też do... – potknął się na słowie, które chciał powiedzieć. – Widzisz, ja umieram.

Rzeczywiście: powiedzieć, że źle wyglądał, to nic nie powiedzieć. Z napakowanego zakapiora stał się cieniem samego siebie. Chudy jak szczapa, szary na twarzy, z oczami zapadniętymi w głąb łysej czaszki stanowił karykaturę dawnego Zadry.

– Zżera mnie rak trzustki...

Wiktor uśmiechnął się i rzucił:

– Jednak Bóg istnieje. Zasłużyłeś na powolną śmierć w męczarniach.

– T-tak – Zadra zająknął się.

Jeśli miał nadzieję na współczucie człowieka, którego skrzywdził tak, że bardziej chyba się nie dało, cóż… musiał się rozczarować. Wiktor był porządnym facetem, nigdy nikomu źle nie życzył – z jednym wyjątkiem. Ten wyjątek stał teraz przed nim i miał nadzieję… na co? Na wybaczenie?

– Może jednak mnie wpuścisz? – Czyżby w głosie Zadry zabrzmiało błaganie? – Mam coś dla ciebie. Coś ważnego. Będziesz mi wdzięczny, wierz mi. Mogłem zabrać moją tajemnicę do grobu, a jednak jestem tutaj, wysłuchuję twoich impertynencji i „dobrych życzeń"…

– Liczyłeś, że przywitam cię z otwartymi ramionami? Sorry, łachudro, ale nadal powraca do mnie w koszmarnych snach tamten dzień, gdy zastrzeliłeś Dankę i Huberta. Nadal pamiętam jej zmasakrowane ciało. Znęcałeś się nad nią. Nad bezbronną kobietą. Która nic złego ci nie uczyniła. Katowałeś ją tylko dlatego, że mogłeś, no nie, Zadra?

Wiedział, że ma rację. Dlatego trzymał bestię na progu domu.

– Wiktor, co było, to było. Zmieniłem się. Miałem czas na rozmyślania. I żałuję.

– Pieprzysz. Nie ma w tobie żalu za to, że krzywdzi-
łeś. Masz żal jedynie do Boga, losu, Potwora z Bagien, czy
w co ty tam wierzysz, że zesłał na ciebie raka. Trzustki.
Pewnie boli, co?

Nie musiał pytać. Cierpienie, na które morfina już
pewnie nie pomagała, Zadra miał wypisane na twarzy.

– Boli – odparł cicho, nagle pokorny. – Wierz czy
nie, próbuję zadośćuczynić choć po części tym, których
skrzywdziłem. Tobie… Weronice…

To imię sprawiło, że Wiktor aż wstrzymał oddech.
I ustąpił drogi.

Zadra wszedł do środka. Bez ciekawości rozejrzał się
po przyjemnym, zadbanym wnętrzu. Podszedł do stołu
i zdjął z ramienia plecak. Wiktor stanął obok, cały spięty,
choć próbował okazać obojętność. Jeśli spodziewał się,
że tamten wyciągnie jakiś list, dokumenty, coś, co pomo-
głoby mu odnaleźć Weronikę, naprawdę się zdziwił.

– Masz, draniu.

„Pisarka", „Zagubiona", „Marzycielka". Trzy książki
o takich tytułach spoczęły na blacie i…? Co dalej?

– Ona nigdy nie przestała cię kochać – dodał Zadra
cicho, odwrócił się i wyszedł bez pożegnania.

Wiktor patrzył na ten dziwny prezent długą chwilę,
po czym wziął do ręki „Pisarkę". Przyjrzał się okładce,
otworzył książkę na chybił trafił i od razu natknął się na
trzy słowa: „Wiktor Helert" i „Weronika".

Aż musiał się wesprzeć o blat stołu, bo nogi się pod nim ugięły, a z gardła wyrwał jęk. Dotknął z niedowierzaniem imienia dziewczyny, której szukał w snach, a ona nagle się zmaterializowała, zamknięta między okładkami książki.

Przyciskając pierwszy tom trylogii do piersi, zawrócił do korytarza, zamknął drzwi wejściowe na klucz, po czym trzęsącymi się z niecierpliwości dłońmi zaparzył dzbanek mocnej kawy, padł na łóżko i zaczął czytać...

Poznanie mojej przeszłości – i losów Weroniki – zajęło mi resztę dnia i pół nocy. Czytałem i płakałem. Nawet nie próbowałem powstrzymać niemęskich przecież łez. Facet też ma czasem do nich prawo. Czytałem i kląłem. Moich i jej rodziców. Przeklętego po stokroć Zadrę. A gdy dotarłem do wątku Jeremiego Wiśniowskiego, faceta, który został jej mężem i zamiast chronić bezcenny dar, jakim była Weronika, doprowadził ją do samobójstwa, miałem ochotę wrócić do Polski i własnoręcznie skręcić skurwielowi kark. Naprawdę musiałem ochłonąć, by z powrotem wziąć powieść do ręki i dalej czytać o ludziach, którzy zrobili wszystko, by ona, moja Nisia, cierpiała. Lecz także o tych, co uczynili ją szczęśliwą.

Ja okazałem się jej największą miłością i zarazem najgorszym przekleństwem...

Gdy pojawił się mały chłopczyk, Kubuś, książka wypadła mi z ręki. Tak po prostu. Siedziałem z godzinę, wpatrując się w okładkę i nie wierząc w ani jedno zapisane tam słowo. To znaczy chciałem wierzyć, ale nie mogłem. Czy mnie ktoś, do cholery, rozumie?!

Oto samotny do bólu facet, który tęskni za rodziną, dowiaduje się, że nie tylko jest kochany i ta jedyna wciąż za nim tęskni, ale również ma dziecko! Synka!

Ręce mi się trzęsły, gdy podnosiłem książkę, by poznać dalsze ich losy. Nasze losy. Kiedy zaś – znów, kurde, płacząc – dotarłem do słowa KONIEC... Zerwałem się na równe nogi, otworzyłem laptop z taką siłą, że niemal urwałem klapę, wstukałem do wyszukiwarki imię i nazwisko autorki – a ręce mi latały jak u narkomana na głodzie – google rzucił na ekran tysiące zdjęć i oto miałem ją przed sobą. Moją Weronikę...

Szczupła, urocza twarz, wielkie zielone oczy i piękne, lśniące miedzią włosy. Tak ją sobie wyobrażałem. Taką widziałem w snach. Taka uśmiechała się do mnie z fotografii zamrożonej w krysztale.

Dotknąłem opuszką palca jej zdjęcia. Tęsknota, którą straciłem razem z pamięcią, aż zdławiła gardło.

Poderwałem się na równe nogi, gotów teraz, zaraz, natychmiast!, lecieć do Australii. Tam bowiem moja Weronika odnalazła bezpieczną przystań.

Jednak los postanowił nie ułatwiać mi niczego. Raczej nie los, a ludzie.

ROZDZIAŁ XXIII

Co takiego Wiktor miał w papierach, że australijski urząd imigracyjny nie chciał dać mu wizy? Było to dla mężczyzny zagadką. Gdy odrzucono jego pierwszy wniosek, specjalnie się nie zaniepokoił. Australia to Australia, oni są tam dziwni i do góry nogami chodzą. Ale gdy odrzucano następne, nie podając powodu… Zaczął się martwić. I wściekać.

Chciał lecieć do ukochanej kobiety, która opłakuje jego śmierć od sześciu lat! Chciał chwycić w ramiona i przytulić z całych sił swojego synka, o którego istnieniu nie miał do tej pory pojęcia, a już go kochał i już tęsknił. Mały Kubuś miał prawo poznać swojego tatę! Dlaczego pieprzony urząd nie pozwoli na łączenie rodzin?!

To wykrzyczał w twarz ambasadorowi, gdy po raz kolejny dostał odpowiedź odmowną. Wpadł w furię, poleciał do Warszawy, umówił się na spotkanie w ambasadzie Australii i rzucił się uroczo uśmiechniętemu, jak to Aussie, mężczyźnie do gardła, gotów siłą wyrwać pieczątkę w paszporcie.

Ale ambasador nie mógł mu pomóc – to powiedział z równie uroczym uśmiechem.

Wiktor wrócił do hotelu, w którym zatrzymał się na te kilka dni. Podłamany i jeszcze bardziej wściekły.

– Nie chcecie dać mi wizy po dobroci? Zmuszę was do tego, pieprzone kangury – syknął, otwierając niezastąpionego acera.

Po śmierci Danki i Huberta, do której pośrednio się przyczynił, przyrzekł sobie skończyć z czarną hakerką. Jednak miłość – choćby Weroniki do niego – zwalniała go z tej przysięgi.

Na serwery urzędu imigracyjnego nie śmiał się włamywać. To byłoby skrajnie niebezpieczne, jeśli chciał polecieć do Australii i zostać tam albo wrócić. Gdyby odkryli włam albo dopatrzyli się fałszerstwa wizy, na resztę życia dostałby szlaban i nigdy więcej nie wpuściliby go do siebie. Musiał działać znacznie ostrożniej, czyli znaleźć powód, dla którego odmawiają mu wizy i… usunąć go.

– Serio? Przez taką pierdołę straciłem cały tydzień? – mówił z niedowierzaniem parę godzin później, czytając uzasadnienie odmowy, które gdzieś tam na tajnej stronie znalazł. – Niezapłacony mandat sprzed dwóch lat? No luuudzie kochani… Rozumiem jeszcze: odsiadka w rumuńskim areszcie, ale o tym ani słowa. Za to mandat, na który tutaj położyli lachę, a ja po prostu zapomniałem, już się dla kangurów liczy?

Mógł włamać się teraz na serwer policji i paroma kliknięciami ten mandat wymazać, ale postanowił działać rozsądnie i po prostu zapłacił.

Potem, siedząc jak na szpilkach, czekał, aż jego wpłata się przemieli, aż zobowiązanie zostanie usunięte z jego kartoteki. Raz jeszcze upewnił się, że ma konto czyste niczym łza dziewicy i… z sercem w gardle, po raz setny chyba, złożył wniosek wizowy.

Plim! Pół minuty później dostał informację zwrotną.

Drżącymi rękami otworzył plik, w myślach już przygotowując odpowiednie przekleństwa, i w następnej chwili wykrzyknął z niedowierzaniem:

– Jest zgoda?! Naprawdę wyrazili zgodę?! Mam! Mam to! Dostałem pieprzoną wizę! Lecę do Australii!

Wykupienie biletu na najbliższy lot nie zajęło mu więcej niż minutę. Samolot do Singapuru miał za cztery godziny. Zdąży wpaść do fryzjera, kupić jakieś ciuchy, nie tylko pasujące do tropików, ale i takie, w których będzie dobrze wyglądał – gdzie tam dobrze, świetnie!, jak najlepiej!, leci do Weroniki, na miłość boską! – a na koniec prezent dla niej i dla Kubusia. Coś… wyjątkowego. Przecież synek zobaczy go po raz pierwszy w życiu. Wiktor musi stanąć na głowie, by było to piękne spotkanie, niezapomniane.

Naraz wpadł w panikę: co lubią sześcioletni chłopcy? O czym marzą? A Kubuś? Jaki prezent go ucieszy? Nie wiedział, jak wygląda jego dziecko. W sieci nie znalazł ani jednego zdjęcia chłopczyka. Pisarka, bo Weronika, ukrywając się pod pseudonimem „Ewa Kotowska", była pisarką, bardzo mocno chroniła swoją prywatność. Nakupował więc pół walizki zabawek i wreszcie mógł wsiadać do samolotu.

W podróż zabrał Trylogię Autorską, żeby przeczytać ją jeszcze raz. Nauczyć się tej opowieści – i swojej przeszłości zamkniętej na kartach książek – niemal na pamięć.

Dwadzieścia cztery godziny później wyszedł z sali przylotów w Brisbane, zaczerpnął do płuc ciepłego, wilgotnego, pachnącego morzem powietrza i poczuł takie szczęście, że aż go zatkało. Był tak blisko… Weronika z Kubusiem byli tak blisko… Jeszcze kilka godzin jazdy Greyhoundem, potem taksówka i wreszcie ich oboje zobaczy. Dotknie żywych, prawdziwych ciał. Przytuli.

A jeżeli ona zatrzaśnie mu drzwi przed nosem?! – zmroziła Wiktora nagła myśl. – Kiedyś go kochała. Miłość znaczyła każdy wyraz jej nie-autobiografii. Ale po pierwsze: mogła to być fikcja literacka, po drugie: kobieta miała czas i powody, by się odkochać, bo Wiktor przez większość opowieści ranił ją niemiłosiernie, po trzecie: mogła znaleźć sobie normalnego faceta, który przy niej będzie na dobre i na złe, synkowi zastąpi ojca i nigdy ich nie opuści. Wreszcie Weronika mogła po prostu nie życzyć sobie powrotu do przeszłości. Owszem, kochała wspomnienie Helerta, ale tylko wspomnienie.

Poczuł, że serce ściska mu się w bolesny węzeł.

Był do tej pory taki pewien, że ona tęskni za nim równie mocno, jak on za nią. Teraz, gdy był tak blisko, stracił tę pewność.

Cóż... powiedziało się B jak Brisbane, trzeba powiedzieć V jak VillaRosa.

Słońce zaczęło chylić się za horyzont, gdy z mocno bijącym sercem stanął w końcu przed pięknym domem, zanurzonym w tropikalnym ogrodzie.

Nagle poczuł się bardzo niepewnie. A jeśli Weronika pamięta go inaczej? Postarzał się przecież. Ma teraz czterdziestkę. Z niepokojem przejrzał się w szybce zdobiącej drzwi. Przegarnął palcami półdługie, czarne włosy. Wygładził czarną koszulkę polo, podkreślającą jego muskularne ramiona. „Mogłeś się ogolić!", zakrzyczał w duchu. Powinien znaleźć na to czas, chociaż gnał do tego domu bez wytchnienia. Łapał pierwsze lepsze połączenie, przesiadał się z autobusu w autobus, byle szybciej. Byle prędzej stanąć przed miłością życia Wiktora Helerta...

„Trudno. Może Nisi spodoba się moja zarośnięta, męska gęba", pomyślał i nacisnął dzwonek.

Spodziewał się właśnie jej, rudowłosej kobiety, którą widział na fotkach w internecie, tymczasem otworzyła mu rosła Aborygenka.

– J-ja do Weroni… Ewy Kotowskiej – wydusił.

Kobieta przyglądała mu się nieprzyjaźnie. Przynajmniej przez pierwszych parę sekund nie znalazł ani krzty łaskawości w jej czarnych jak węgle oczach. Nagle jednak pojawił się w nich błysk rozpoznania. Aż przytknęła dłoń do ust. Patrzyła na Wiktora chwilę, jakby ujrzała ducha, po czym – równie zaskoczonego – chwyciła za rękę i pociągnęła do wnętrza domu.

Nie miał czasu podziwiać pięknych, jasnych pokojów, bo oto został postawiony w salonie przed kominkiem, na którym stało, oprawione w biało-złotą ramkę… jego zdjęcie.

Kobieta wskazała najpierw na nie, potem na niego.

Skinął głową.

Ponownie chwyciła go za rękę i nadal nie mówiąc ani słowa, pociągnęła na zewnątrz. Do ogrodu. Potem do furtki prowadzącej na plażę. Otworzyła szeroko drzwiczki i bezceremonialnie pchnęła Wiktora w stronę oceanu.

Obejrzał się na nią. Posłała mu serdeczny uśmiech i machnęła ręką: „Idź do niej, idź!”.

Dróżka wiła się wśród tropikalnych zarośli. Zrzucił buty i na bosaka pospieszył tam, gdzie widać było rozmigotany srebrem i złotem ocean. Wreszcie gąszcz się rozstąpił

i Wiktor wyszedł na słońce. Zatrzymał się na chwilę zauro-
czony. Osłonił oczy od blasku.

I wtedy ujrzał ją.

Daleko, po drugiej stronie plaży, stała szczupła, rudowłosa
kobieta, tuląc do siebie drobnego chłopczyka.

Wiktor poczuł, że nogi się pod nim uginają, a do oczu
napływają łzy wzruszenia. Musiał wziąć parę głębokich
oddechów, zanim był gotów ruszyć dalej.

Był mniej więcej w połowie, gdy dostrzegli go. Najpierw
chłopiec. Przyglądał się przez parę chwil, wreszcie coś powiedział do matki i... ruszył biegiem.

Ona się zawahała. Na chwilę. Na parę uderzeń serca.
Wiktor widział, jak kręci głową. Jak przytyka obie dłonie do
ust i po prostu nie wierzy.

Zatrzymał się, nie wiedząc, czy ona życzy sobie jego obecności, czy wręcz przeciwnie i nagle...

Zaczęła biec. Rozpostarła ramiona i biegła, krzycząc
jego imię.

Wpadła mu z impetem w objęcia. Przytulił ją z całych
sił, czując, że kocha tę kobietę od zawsze. Poraniony mózg
może nie pamiętał ich wspólnych chwil, ale serce wyrywało
się do niej.

– Nisia. Ty jesteś moja Weroniczka – wyszeptał przez
zaciśnięte spazmatycznie gardło.

Uniosła nań piękne, złoto-zielone oczy. Dotknęła ciepłą,
serdeczną dłonią policzka mężczyzny w geście tak czułym,

że musiał pochwycić tę dłoń, wtulić usta w ciepłe wnętrze i chwilę łapać oddech, bo rozpłakałby się. Tak po prostu.

Gładziła go po ramionach, po włosach, jakby nie wierzyła, że stoi przed nią. Żywy, rzeczywisty. Że ma przed sobą Wiktora, z którego śmiercią nigdy się nie pogodziła i którego nigdy nie opłakała do końca. Chłopczyk, którego Wiktor porwał w ramiona, wyszeptał z równym niedowierzaniem:

– Tatuś! Mój tatuś wrócił!

A ona zaśmiała się przez łzy. Wiktor scałował te łzy z jej policzków.

I nagle poczuł nie tylko szczęście tak ogromne, aż nie do uwierzenia, lecz także… ulgę. Obezwładniającą ulgę. Oto po latach rozpaczy i samotności odnalazł dwie istoty, które staną się dla niego całym światem. Tulił do piersi kobietę i dziecko, dla których warto jest żyć. Po latach tułaczki wrócił do domu, do utęsknionej, bezpiecznej przystani, którą nie były cztery ściany choćby najpiękniejszej willi, a kochające dłonie Weroniki.

Razem odbudują to, co wydawało się bezpowrotnie utracone. Mieli przed sobą całą przyszłość. Dla Weroniki, Wiktora i Kubusia opowieść zaczęła pisać się od nowa.

Jak się skończy?

To zależy już tylko od nich.

Warszawa, styczeń 2020

SERIA DLA DOROSŁYCH

ŚCIGANY

DRAŃ

MISTRZ

ZEMSTA

SERIA Z ŻYCIA WZIĘTA

BEZDOMNA

NADZIEJA

NIE ODDAM DZIECI!

TRYLOGIA AUTORSKA

PISARKA

ZAGUBIONA

MARZYCIELKA

SERIA MAZURSKA

GWIAZDKA Z NIEBA   PROMYK SŁOŃCA

KROPLA NADZIEI   TRZY ŻYCZENIA   UŚMIECH LOSU

LEŚNA TRYLOGIA

LEŚNA POLANA

CZERWIEŃ JARZĘBIN

BŁĘKITNE SNY

SERIA Z KOKARDKĄ

SKLEPIK
Z NIESPODZIANKĄ
BOGUSIA

SKLEPIK
Z NIESPODZIANKĄ
ADELA

SKLEPIK
Z NIESPODZIANKĄ
LIDKA

SERIA KWIATOWA

OGRÓD KAMILI

ZACISZE GOSI

PRZYSTAŃ JULII

SERIA OWOCOWA

ROK W POZIOMCE

POWRÓT DO POZIOMKI

LATO W JAGÓDCE

TRYLOGIA JABŁONIOWA

WIŚNIOWY DWOREK

W IMIĘ MIŁOŚCI

DLA CIEBIE WSZYSTKO

TRYLOGIA SŁONECZNA

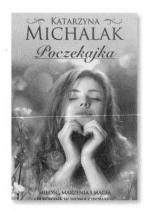

POCZEKAJKA

ZACHCIANEK

ZMYŚLONA

SPIS TREŚCI

KATARZYNA MICHALAK